A ORAÇÃO QUE PREVALECE

A ORAÇÃO QUE PREVALECE

—

DWIGHT L. MOODY

Traduzido por Luciana Chagas

Copyright © 2021 por Mundo Cristão

Os textos das referências bíblicas foram extraídos da *Nova Versão Transformadora* (NVT), da Tyndale House Foundation, salvo as seguintes indicações: *Almeida Revista e Corrigida* (RC), *Almeida Revista e Atualizada*, 2ª edição (RA), e *Nova Almeida Atualizada* (NAA), todas da Sociedade Bíblica do Brasil.

Todos os direitos reservados e protegidos pela Lei 9.610, de 19/02/1998.

É expressamente proibida a reprodução total ou parcial deste livro, por quaisquer meios (eletrônicos, mecânicos, fotográficos, gravação e outros), sem prévia autorização, por escrito, da editora.

Edição
Daniel Faria

Revisão
Natália Custódio

Produção e diagramação
Felipe Marques

Colaboração
Ana Luiza Ferreira

Capa
Jonatas Belan

CIP-Brasil. Catalogação na publicação
Sindicato Nacional dos Editores de Livros, RJ

M81o

   Moody, Dwight
   A oração que prevalece / Dwight Moody ; tradução Luciana Chagas. - 1. ed. - São Paulo : Mundo Cristão, 2021.
   128 p.

   Tradução de: Prevailing prayer
   ISBN 978-65-5988-010-2

   1. Oração. 2. Vida cristã. I. Chagas, Luciana. II. Título.

21-71332   CDD: 248.4
                         27-584

Leandra Felix da Cruz Candido - Bibliotecária - CRB-7/6135

Publicado no Brasil com todos os direitos reservados por:

Editora Mundo Cristão
Rua Antônio Carlos Tacconi, 69
São Paulo, SP, Brasil
CEP 04810-020
Telefone: (11) 2127-4147
www.mundocristao.com.br

Categoria: Oração
1ª edição: setembro de 2021

Sumário

Prefácio à edição em português   7

Introdução   9

1. As orações da Bíblia   13
2. Adoração   23
3. Confissão   29
4. Restituição   45
5. Ação de graças   55
6. Perdão   63
7. Unidade   74
8. Fé   81
9. Petição   92
10. Submissão   103
11. Orações atendidas   113

Prefácio à edição em português

"Deus tornou a salvação tão simples que jovens e velhos, sábios e tolos, ricos e pobres, todos podem confiar na graça divina." Tais palavras, expressas em 1884, sinalizam a convicção que motivou os tantos esforços evangelísticos de Dwight Lyman Moody, um dos grandes nomes da história da igreja não só dos Estados Unidos, mas de todo o mundo cristão: a maravilhosa graça de Deus é para todos, sem distinção de nenhum tipo.

O próprio Moody, aliás, vinha de um contexto simples. Nasceu em Northfield, no estado de Massachusetts, em 1837, de uma família de pedreiros. Adolescente, trabalhou como vendedor de sapatos numa loja de Boston, cujo proprietário, seu tio Samuel, exigia que o jovem Moody frequentasse as aulas da escola dominical. Então, aos 18 anos de idade, mediante a influência de seu professor, Edward Kimball, Moody entregou a vida a Jesus. Começaria ali a trajetória cristã de uma das mais proeminentes figuras religiosas do século 19.

Desde muito cedo, Moody dedicou-se com afinco à missão de alcançar outros — todos os outros possíveis — para a fé em Cristo. Primeiramente como membro da Igreja Congregacional de Plymouth, em Chicago, e depois como líder na igreja que fundou em 1863, a Igreja da Rua Illinois (que teria seu nome mudado para Igreja de Moody após a morte do evangelista), Moody atraía centenas de pessoas aos cultos, incluindo meninos de rua, andarilhos e imigrantes em situação de necessidade. Seus métodos eram à época pouco convencionais:

oferecia doces e brinquedos às crianças e aulas de inglês aos adultos. Ao mesmo tempo, sua experiência como vendedor de sapatos lhe permitia aproximar-se de empresários abastados, que contribuíam para alavancar as iniciativas evangelísticas inovadoras de Moody.

Em seus mais de quarenta anos de ministério, até sua morte em 22 de dezembro de 1899, Moody alcançou feitos impressionantes. Como presidente da Associação Cristã de Moços (YMCA, na sigla em inglês), liderou importantes projetos sociais e educacionais num país ainda em recuperação pós-Guerra Civil (1861–1865). Ao lado do cantor Ira David Stankey, promoveu exitosas campanhas de evangelização que atingiram milhões de pessoas, nos Estados Unidos e também na Grã-Bretanha. Hoje, o renomado Instituto Bíblico Moody é resultado de seu patronato à Sociedade Evangelizadora de Chicago, iniciada em 1886. É ele também o responsável pela fundação, em 1894, da Moody Publishers, editora de livros cristãos que ainda hoje abastece leitores em todo o planeta.

A Mundo Cristão tem procurado apresentar ao público brasileiro obras de nomes fundamentais da igreja ao longo dos séculos, e D. L. Moody certamente está mais do que habilitado para merecer a qualificação de clássico da literatura cristã. É com grande alegria, portanto, que publicamos *A oração que prevalece*, uma das principais obras de Moody, escrita originalmente em 1884. Nela, o autor nos lembra de uma verdade basilar: "Não há como crescer em graça e no conhecimento do Senhor Jesus Cristo a não ser que conversemos com ele em oração".

Acompanhemos Moody nesse belo estudo sobre a oração que prevalece. Boa leitura!

Os EDITORES

Introdução

Os dois meios de graça primordiais e essenciais são a Palavra de Deus e a oração. Por meio delas vem a conversão, pois nascemos de novo mediante a Palavra de Deus, a qual vive e permanece para sempre; e todo aquele que invocar o nome do Senhor será salvo.

Por intermédio delas também crescemos, pois somos exortados a desejar o puro leite da Palavra, o qual possibilita o crescimento; e não há como crescer em graça e no conhecimento do Senhor Jesus Cristo a não ser que conversemos com ele em oração.

É pela Palavra que o Pai nos santifica; mas também somos convocados a vigiar e orar a fim de que não caiamos em tentação.

Esses dois meios da graça devem ser usados na proporção correta. Se lermos a Palavra sem pô-la em prática, podemos nos deixar assoberbar pelo conhecimento, desprovidos do amor que o formou. Se orarmos sem ler a Palavra, podemos vir a ignorar a mente e a vontade de Deus, tornando-nos místicos e fanáticos, suscetíveis ao sopro de qualquer vento de doutrina.

Os capítulos adiante tratam especialmente da oração; mas, para que nossas preces estejam em consonância com a vontade de Deus, elas devem se basear na revelação da vontade dele para nós, pois dele, e por meio dele, e para ele são todas as coisas; e só ouvindo sua Palavra, na qual descobrimos seus propósitos para nós e para o mundo, é que podemos apresentar orações aceitáveis, rogando por meio do Espírito Santo, pedindo aquilo que é aprazível a seus olhos.

Estes discursos não pretendem ser exaustivos, mas sugestivos. Esse importante assunto foi abordado pelos profetas e pelos apóstolos, e por todos os homens piedosos da história, no mundo inteiro. Minha intenção ao apresentar este breve volume é encorajar os filhos de Deus a buscar, em oração, "mover o Braço que move o mundo".

D. L. Moody, 1884

Oração

O propósito da oração é comunicar
   As bênçãos que Deus planeja conceder;
Os cristãos devem durante toda a vida orar,
   Pois só enquanto oram podem viver.

Em silêncio mortal repousaremos
   Estando Cristo à espera de nossa oração?
Minh'alma, um Amigo no céu nós temos;
   Levanta-te e busca sua boa e santa mão.

Se a dor aflige e o infortúnio oprime,
   Se o cuidado distrai e o medo apavora,
Se a culpa entristece e o pecado aflige,
   A solução está à tua frente: Ora!

Dependa de Cristo, e não terás receio;
   Não temas; o mérito dele triunfará.
Apresente a ele toda súplica e anseio;
   Pede o que quiseres, e assim se fará!

JOSEPH HART

1

As orações da Bíblia

Aqueles que deixaram as maiores marcas nesta terra amaldiçoada pelo pecado foram homens e mulheres de oração. Você descobrirá que a ORAÇÃO é a força poderosa que move não apenas Deus, mas também o ser humano. Abraão era um homem de oração, e os anjos desceram dos céus para conversar com ele. A oração de Jacó foi respondida durante o maravilhoso diálogo em Peniel e resultou em bênção grandiosa, bem como no abrandamento do coração de Esaú; o pequeno Samuel foi resposta à prece de Ana; a oração de Elias manteve os céus fechados por três anos e seis meses, e o profeta orou novamente e os céus deram chuva.

O apóstolo Tiago relata que o profeta Elias era "humano como nós", sujeito às paixões (Tg 5.17). Agradeço o fato de homens e mulheres tão fortes em oração terem sido pessoas como nós. Tendemos a achar que os profetas, bem como os grandes homens e mulheres de oração que viveram outrora, eram diferentes de nós. É certo que eles viveram em épocas muito mais sombrias, mas suas paixões se assemelhavam às nossas.

Em outro trecho bíblico, lemos que Elias fez cair fogo sobre o monte Carmelo. Os profetas de Baal clamaram em alta voz por um longo período, mas não obtiveram resposta alguma. O Deus de Elias ouviu a oração desse profeta e a atendeu. Lembremo-nos de que esse Deus *é vivo*. O profeta foi trasladado e subiu ao céu, mas seu Deus ainda vive; o acesso que Elias tinha a seu Deus nos está disponível hoje. Temos a mesma autorização para ir até Deus e pedir que fogo do céu venha consumir nossas cobiças e paixões, queimando toda a nossa impureza e deixando que Cristo brilhe por nosso intermédio.

Eliseu orou, e a criança morta tornou a viver. Muitos de nossos filhos estão mortos em pecados e transgressões. Sigamos o exemplo de Eliseu e roguemos a Deus que os faça reviver em resposta às nossas orações.

Manassés, o rei, era um homem mal e fazia todo o possível para contrariar o Deus de seu pai; contudo, estando na Babilônia, clamou a Deus e teve sua súplica ouvida, sendo tirado da prisão e entronizado em Jerusalém. É certo que, tendo acatado a oração do perverso Manassés, Deus ouvirá também as nossas quando a angústia nos abater. Acaso não é verdade que um grande número de irmãos nossos vem enfrentando tempos angustiantes? Não há, entre nós, tantos cujo coração está sobrecarregado? À medida que nos dirigimos ao trono da graça, devemos lembrar que Deus responde às orações.

Observe Sansão: ele orou e recobrou as forças a ponto de abater mais inimigos ao morrer do que enquanto era vivo. Antes desviado, ele foi regenerado e encontrou poder em Deus. Se os perdidos retornarem a Deus, eles verão quão rapidamente o Senhor responde à oração.

Jó orou, e seu cativeiro foi transformado. Houve luz no lugar de escuridão, e Deus o ergueu para além da prosperidade que ele outrora desfrutara, e fez isso em resposta à oração.

Daniel orou a Deus e soube, por meio de Gabriel, que era um homem muito querido para o Senhor. Por três vezes essa informação lhe veio do céu, como resposta de oração. Os segredos celestiais foram partilhados com Daniel, que tomou ciência de que o Filho de Deus seria morto pelos pecados do povo de Deus. Também constatamos que, quando Cornélio orou, Pedro lhe foi enviado com palavras mediante as quais o próprio Cornélio e as pessoas de seu convívio seriam salvos. Em resposta à oração, essa grande bênção veio sobre o lar de Cornélio. Numa tarde, havendo subido ao terraço para orar, Pedro teve a maravilhosa visão de um lençol que descia do céu. Quando se orou a Deus sem cessar em favor de Pedro, o anjo foi incumbido de salvar o apóstolo.

Assim, ao longo de toda a Escritura, constatamos que, quando nossa oração fiel sobe a Deus, a resposta desce até nós. Penso que este estudo será bem interessante se examinarmos a Bíblia observando o que aconteceu nas ocasiões em que o povo de Deus clamou de joelhos diante dele. Certamente, essa investigação fortalecerá nossa fé de maneira considerável, revelando, como é de se esperar, que Deus ouviu e providenciou resgate quando o clamor por socorro subiu até ele.

Observe Paulo e Silas na prisão em Filipos. Conforme eles oraram e entoaram louvores, o local estremeceu e o carcereiro se converteu. Provavelmente, no que diz respeito ao alcance de pessoas para o reino de Deus, essa foi a conversão mais eficaz dentre todas aquelas registradas na Bíblia. Quantos foram abençoados pela pergunta "Que devo fazer para ser salvo?" (At 16.30). Foi a oração daqueles dois homens piedosos que fez o carcereiro cair de joelhos e o abençoou, bem como a seus familiares.

Você deve se lembrar de como Estêvão, ao orar e olhar para o alto, viu os céus abertos e o Filho do Homem à direita de Deus; a luz celeste cobriu-lhe o rosto, fazendo-o brilhar. Deve se lembrar, ainda, de como a face de Moisés brilhava quando ele desceu do monte; ele estivera em comunhão com Deus. Portanto, quando de fato temos comunhão com Deus, seu semblante se ergue sobre nós; assim, em vez de exibir uma feição sombria, nosso rosto brilha, porque Deus ouve nossas preces e responde a elas.

Quero chamar especial atenção para Cristo como exemplo para nós em todos os aspectos, sobretudo na oração. Lemos que Cristo orou ao Pai acerca de todas as coisas. Cada grande crise que enfrentou foi precedida por oração. Deixe-me citar algumas passagens. Foi somente há uns poucos anos que me dei conta de que Cristo orava quando foi batizado. Enquanto ele clamava, o céu se abriu, e o Espírito Santo desceu sobre ele. Outra ocasião importante em sua vida foi a transfiguração: "Enquanto ele orava, a aparência de seu rosto foi transformada, e suas roupas se tornaram brancas e resplandecentes" (Lc 9.29).

Lemos também: "Certo dia, pouco depois, Jesus subiu a um monte para orar e passou a noite orando a Deus" (Lc 6.12). Essa é a única passagem que regista que o Salvador passou uma noite inteira orando. O que estava por acontecer? Quando desceu da montanha, ele reuniu os discípulos à sua volta e pregou o grande discurso conhecido como Sermão do Monte, o mais formidável sermão já pregado aos mortais. Possivelmente nenhum outro sermão resultou em tamanho benefício, ainda mais tendo ocorrido depois de uma noite de oração. Se queremos que nossos sermões alcancem o coração e a consciência das pessoas, devemos orar a Deus muito mais, a fim de que a palavra seja acompanhada de poder.

No Evangelho de João, lemos que, diante do túmulo de Lázaro, Jesus ergueu os olhos ao céu e disse: "Pai, eu te agradeço porque me ouviste. Tu sempre me ouves, mas eu disse isso por causa de todas as pessoas que estão aqui, para que elas creiam que tu me enviaste" (Jo 11.41-42). Perceba que, antes de chamar o morto à vida, Jesus falou com o Pai. Se a intenção é erguer os mortos que estão entre nós, primeiro devemos buscar poder em Deus. A razão pela qual tão frequentemente falhamos em persuadir o próximo é que tentamos ganhá-lo sem antes obter poder em Deus. Jesus estava em comunhão com o Pai e, por isso, tinha a garantia de que suas orações eram ouvidas.

Lemos mais uma vez, em João 12, que Jesus orou ao Pai. Acho que esse é um dos capítulos mais tristes de toda a Bíblia. Jesus estava prestes a deixar a nação judaica e a expiar o pecado do mundo. Atente para o que ele diz: "Agora minha alma está angustiada. Acaso devo orar 'Pai, salva-me desta hora'? Mas foi exatamente por esse motivo que eu vim!" (Jo 12.27). Ele já estava quase à sombra da cruz; as iniquidades humanas logo seriam depositadas sobre ele; um de seus doze discípulos o negaria e juraria nunca havê-lo conhecido; outro o venderia por trinta moedas de prata; todos fugiriam, deixando-o para trás. A alma de Jesus experimentava imensa tristeza, e ele orou; quando a alma de Jesus se angustiava, Deus falava com ele. Então, no jardim do Getsêmani, enquanto orava, Jesus foi visitado por um anjo que o fortaleceu. Em resposta ao clamor "Pai, glorifica teu nome!", ele ouve uma voz proveniente da glória celeste: "Eu já glorifiquei meu nome, e o farei novamente em breve" (Jo 12.28).

Outra prece memorável de nosso Senhor ocorreu no Getsêmani: "Afastou-se a uma distância como de um arremesso de pedra, ajoelhou-se e orou" (Lc 22.41). Chamo sua atenção para os quatro registros de respostas vindas diretamente do céu enquanto o Salvador orava a Deus. A primeira vez aconteceu durante seu batismo, quando os céus se abriram e o Espírito desceu sobre ele em resposta à oração que fazia. Deus novamente lhe apareceu e falou no monte da transfiguração. Então, quando os gregos quiseram ver Jesus, ouviu-se a voz de Deus respondendo à petição do Filho; e, mais uma vez, estando em agonia, Jesus clamou ao Pai e houve resposta direta. Não tenho dúvida de que esses fatos estão registrados a fim de que sejamos encorajados a orar.

Lemos que os discípulos vieram a Jesus e disseram: "Senhor, ensine-nos a orar" (Lc 11.1). Não há registro de que ele lhes tenha ensinado como pregar. Costumo afirmar que prefiro saber orar como Daniel a pregar como Gabriel. Se em sua alma houver amor tal que a graça de Deus venha como resposta às suas orações, você não terá dificuldade para alcançar as pessoas. Não é mediante sermões eloquentes que se alcançam almas perdidas; é preciso que haja poder divino para que as bênçãos desçam do céu.

A oração que nosso Senhor ensinou a seus discípulos é comumente chamada de Oração do Senhor. Acredito que a oração de Jesus propriamente dita é aquela reproduzida em João 17, a mais longa de suas orações conhecidas. É possível lê-la demorada e cuidadosamente em cerca de quatro ou cinco minutos. Creio que há uma lição aqui. As orações de nosso Mestre eram breves quando proferidas em público; mas, quando ele estava a sós com Deus, a coisa era diferente: ele era capaz de passar uma noite inteira em comunhão com o Pai. Por experiência, digo que aqueles que apresentam a maior parte de suas preces em seu próprio quarto costumam fazer orações curtas quando estão em público. Em muitos casos, preces extensas não são orações de fato e costumam deixar as pessoas enfadadas. Note a brevidade da oração do publicano: "Deus, tem misericórdia de mim, pois sou pecador" (Lc 18.13). A mulher siro-fenícia foi ainda mais concisa: "Senhor, ajude-me!" (Mt 15.25); ela foi direto ao ponto e obteve o que queria. A oração do ladrão na cruz foi curta: "Jesus, lembre-se de mim quando vier no seu reino" (Lc 23.42). A prece de Pedro foi: "Senhor, salva-me" (Mt 14.30). Portanto, se você examinar as Escrituras, verá que as orações que tiveram resposta imediata foram, em geral, breves. Que nossas preces sejam objetivas e falemos a Deus tão somente aquilo que desejamos.

Na oração de Jesus descrita em João 17, vemos que ele fez sete pedidos: um em favor próprio, quatro pelos discípulos que o acompanhavam e dois pelos que o seguiriam futuramente. Por seis vezes nessa oração, ele repete que foi Deus quem o enviou. O mundo considerava Jesus um impostor, e ele desejava que soubessem que fora enviado do céu. Jesus fala nove vezes sobre o mundo, e por cinquenta vezes menciona seus discípulos e aqueles que nele creem.

A última oração de Cristo, na cruz, foi rápida: "Pai, perdoa-lhes, pois não sabem o que fazem" (Lc 23.34). Creio que essa prece foi atendida. Vemos que bem ali, diante da cruz, um centurião romano se converteu, provavelmente em resposta à oração do Salvador. A conversão do ladrão, penso eu, foi resposta à oração de nosso bendito Senhor. Saulo de Tarso talvez tenha escutado essa oração, e tais palavras podem ter-lhe feito companhia enquanto ele viajava para Damasco; então, quando o Senhor o interpelou no meio do caminho, ele pode ter reconhecido a voz divina. De uma coisa sabemos: no dia de Pentecostes, alguns dos inimigos do Senhor se converteram. Por certo, isso foi resposta à oração "Pai, perdoa-lhes!".

Assim, vemos que a oração é um dos mais elevados exercícios da vida espiritual. O povo de Deus sempre foi um povo de oração. Olhe, por exemplo, para Richard Baxter! Ele arejou sua agenda acadêmica com períodos de oração; e, tendo sido ungido pelo poder do Espírito Santo, deu vazão a um rio de água viva que cobriu a cidade inglesa de Kidderminster, levando centenas à conversão. Lutero e seus colegas eram homens cujas súplicas se mostraram tão poderosas diante de Deus que eles romperam a maldição vinda de eras anteriores e conduziram aos pés da cruz nações até então subjugadas. John Knox agarrou a Escócia com seus vigorosos braços de fé, e suas orações aterrorizaram tiranos. Depois de muita petição santa e sincera, George Whitefield foi até a feira do diabo e, em um único dia, arrancou das garras do leão mais de mil almas. Veja o clamoroso John Wesley levar mais de dez mil almas ao Senhor! Olhe para o suplicante Charles Finney, cujas preces, fé, sermões e escritos sacudiram todo o país e fizeram que uma onda de bênçãos atravessasse igrejas situadas dos dois lados do oceano.

O dr. Guthrie afirma o seguinte sobre a oração e por que ela é necessária:

O primeiro indício autêntico de uma vida espiritual, a oração, é também aquilo que a mantém. O homem consegue viver fisicamente sem respirar tanto quanto consegue viver espiritualmente sem orar. Há uma classe de animais — os cetáceos, os quais não são nem peixes nem aves marinhas — que habitam regiões profundas. Ali é a casa deles, de onde jamais saem para ir até a orla; apesar disso, embora nadem sob as ondas e desçam às profundezas escuras, vez ou outra eles têm de subir à superfície a fim de obter ar. Sem isso, esses monarcas do mar profundo não existiriam no denso elemento em que vivem, se movem e existem. O que a esses animais é imposto por uma necessidade física, o cristão deve fazer por necessidade espiritual. É ascendendo regularmente a Deus, elevando-se mediante oração até um lugar mais sublime e puro a fim de obter graça divina, que o cristão sustenta sua vida espiritual. Impeça que aqueles animais subam à superfície, e eles morrerão por falta de ar; impeça que o cristão suba a Deus, e ele morrerá por falta de oração. "Dê-me filhos", clamou Raquel, "ou morrerei" (Gn 30.1). "Deixe-me respirar", diz o homem sufocado, "ou morrerei." "Deixe-me orar", diz o cristão, "ou morrerei."

"Desde que comecei a suplicar pela bênção de Deus sobre meus estudos", disse o dr. Payson quando era estudante, "tenho feito mais em uma semana do que fazia outrora durante todo um ano." Lutero, vendo-se sobrecarregado pelo trabalho, afirmou: "Há tanta coisa a fazer que sou incapaz de dar conta se não passar três horas diárias em oração". E não são apenas os teólogos que pensam e falam abundantemente sobre oração; homens de todas as classes e posições também o fazem. O general Havelock se levantava às quatro da manhã caso a marcha militar fosse prevista para as seis, só para não perder o precioso privilégio de estar em comunhão com Deus antes de sair. *Sir* Matthew Hale comentou: "Se me privo de orar e de ler a Palavra de Deus pela manhã, nada vai bem ao longo do dia".

"Grande parte do meu tempo", disse McCheyne, "é dedicada à tarefa de afinar meu coração à oração. Esse é o elo que conecta a terra ao céu."

Uma análise aprofundada sobre esse tema mostrará que há nove elementos essenciais à verdadeira oração. O primeiro é a *adoração*; não podemos encontrar Deus no mesmo nível em que estamos. Devemos nos dirigir a ele como aquele que está muito além de nossa vista ou alcance. O próximo elemento é a *confissão*; o pecado deve ser lançado fora. Não podemos ter nenhuma comunhão com Deus enquanto houver qualquer transgressão entre nós e ele. Se você fez algo de errado a alguém, não pode esperar que ele lhe seja favorável antes que você o procure e confesse essa falta. *Restituição* é outro elemento; devemos tornar o mal em bem, sempre que possível. Em seguida, vem a *ação de graças*; precisamos ser gratos pelo que Deus já fez por nós. Então, há o *perdão* e, depois, a *unidade*; logo após, como produto de tudo isso, deve haver *fé*. Assim amparados, devemos estar prontos para oferecer *petição* direta. Ouvimos muitas orações que são mera exortação, e, se não notarmos que os olhos de quem ora estão fechados, suporemos que essa pessoa está pregando. Portanto, muito do que se nomeia como oração é puro apontamento de falhas. É necessário que haja mais petição em nossas orações. Depois de tudo isso, deve vir a *submissão*. Enquanto oramos, devemos estar prontos para aceitar a vontade de Deus. Precisamos considerar em detalhes esses nove elementos, dando fim às nossas dúvidas mediante a exposição de fatos que sirvam para ilustrar a certeza de que, atendidas essas condições, haverá resposta à oração.

A hora da oração

Senhor, que mudança em nós um breve instante
    Em tua presença logrará!
    Que fardos de nosso peito tirará;
Que chão seco, como chuva, fará refrescante.

Ajoelhamos — e tudo à nossa volta parece descer;
    Levantamos — e, distante ou próximo, tudo
    Ergue-se diante do sol, valente e resoluto;
Ajoelhamos — quão fracos! Levantamos — quanto poder!

Por que, então, a nós mesmos faríamos tão mal,
Ou males outros, visto que nossa força jamais é total?
Por que estaríamos sempre cheios de cuidados,
    fracos ou cruéis, ansiosos ou atribulados,
Se conosco está a oração,
    E contigo a alegria, a força e a coragem estão?

R. C. Trench

2
Adoração

O elemento da ADORAÇÃO costuma ser definido como o ato de render honra a Deus, incluindo também reverência, apreço e amor. Significa, literalmente, levar a mão à boca, "beijar a mão", o que, nos países do Oriente, é um grande sinal de respeito e submissão. É muito importante achegar-se a Deus com essa atitude; por isso, a Palavra de Deus frequentemente a incute em nós.

O rev. Newman Hall, em sua obra sobre a Oração do Senhor, diz:

Separado da revelação, o louvor oferecido pelo homem é comumente caracterizado pelo egoísmo. Vamos a Deus ou para agradecer-lhe pelos benefícios que recebemos, ou para implorar-lhe mais dádivas: comida, vestimenta, saúde, segurança, conforto. Como Jacó em Betel, estamos dispostos a relacionar o louvor que rendemos a Deus com o fato de ele nos "providenciar alimento e roupa". Esse estilo de petição, no qual o ego em geral tem precedência e prevalência — isso quando não domina as súplicas todas de uma vez —, é observado não somente entre devotos de sistemas falsos, mas na maioria das orações de cristãos professos. Nossas orações são como os cavaleiros partos, que montavam em uma direção e olhavam para outra; parecemos nos dirigir a Deus, mas, com efeito, pensamos em nós mesmos. Essa pode ser a razão pela qual, muitas vezes, nossas orações são enviadas, como foi o corvo da arca de Noé, e jamais retornam.

Todavia, quando fazemos da glória de Deus o grande objetivo de nossa devoção, elas seguem como a pomba e voltam a nós com um ramo de oliveira.

Deixe-me recomendar uma passagem das profecias de Daniel. Esse profeta foi um homem que soube orar; suas orações trouxeram bênçãos celestiais sobre ele e seu povo. Daniel disse:

> Então me voltei para o Senhor Deus e supliquei a ele com oração e jejum. Também vesti pano de saco e coloquei cinzas sobre a cabeça. Orei ao Senhor, meu Deus, e confessei: "Ó Senhor, és Deus grande e temível! Tu guardas tua aliança de amor leal para com os que te amam e obedecem a teus mandamentos".
>
> Daniel 9.3-4

A ideia para a qual quero chamar especial atenção está expressa nas palavras "Ó Senhor, és Deus grande e temível!". Daniel tomou o lugar correto diante de Deus: o pó; e colocou Deus no lugar apropriado. Foi quando Abraão se humilhou, prostrado perante Deus, que Deus falou com ele. A santidade pertence a Deus; o pecado pertence a nós.

Thomas Brooks, o antigo e afamado escritor puritano, afirmou:

> A pessoa realmente santa é muito impactada e tomada de admiração pela santidade divina. Pessoas impuras podem, de algum modo, ser impactadas e arrebatadas por outras qualidades de Deus; apenas as almas santas se comovem e se encantam com a santidade dele. Quanto mais santas elas são, mais profundamente são afetadas por isso. Para os santos anjos, a santidade de Deus é o diamante que brilha na coroa de glória. Mas os impuros se sensibilizam e se enternecem com tudo, menos com a santidade do Senhor. Nada causa tanto

desânimo ao pecador quanto o discurso acerca da santidade divina; é como a escrita à mão na parede; nada tem maior poder de causar dor à cabeça e ao coração do ímpio que um sermão sobre aquele que é Santo; nada afronta e oprime, nada aflige e aterroriza os sacrílegos tanto quanto uma vívida exposição da santidade de Deus. Contudo, quanto às almas santas, não há discurso que lhes seja mais pertinente e prazeroso, que mais lhes cause deleite e alegria, que mais as agrade e beneficie do que aqueles que plena e poderosamente mostram Deus em gloriosa santidade.

Portanto, ao apresentar-nos diante do Senhor, devemos adorar e reverenciar seu nome.

O mesmo tema ganha destaque em Isaías:

No ano em que o rei Uzias morreu, eu vi o Senhor. Ele estava sentado em um trono alto, e a borda de seu manto enchia o templo. Acima dele havia serafins, cada um com seis asas: com duas asas cobriam o rosto, com duas cobriam os pés e com duas voavam. Diziam em alta voz uns aos outros:

"Santo, santo, santo é o Senhor dos Exércitos;
   toda a terra está cheia de sua glória!"

Isaías 6.1-3

Ao deparar com a santidade de Deus, devemos adorá-lo e exaltá-lo. Moisés precisou aprender essa mesma lição. Deus lhe disse que tirasse os calçados dos pés, pois o local onde pisava era solo sagrado. Quando homens tentam se fazer de santos e se gabam da própria santidade, eles minimizam a santidade de Deus. É sobre a santidade dele que precisamos pensar e falar; ao fazer isso, devemos nos prostrar sobre o pó. Você se recorda, também, de como foi com Pedro. Quando Cristo se revelou a ele, Pedro disse: "Por favor, Senhor, afaste-se de mim, porque sou homem pecador" (Lc 5.8). Um vislumbre de Deus é suficiente para nos mostrar quão santo ele é e quão impuros nós somos.

Descobrimos que Jó também teve de aprender a lição. "Então Jó respondeu ao Senhor: 'Eu não sou nada; como poderia encontrar as respostas? Cobrirei minha boca com a mão'" (Jó 40.3-4).

Ao observar Jó discutindo com seus amigos, você pode achar que ele foi um dos maiores santos que já existiu. Ele serviu de olhos para os cegos e de pés para os coxos; alimentou o faminto e vestiu o nu. Que homem maravilhosamente bom! Tudo era "eu, eu, eu". No final, Deus lhe falou: "Prepare-se como um guerreiro, pois lhe farei algumas perguntas, e você me responderá" (Jó 38.3). No momento em que Deus se revelou, Jó mudou a linguagem que usava. Ele viu a própria vilania e também a pureza de Deus. E disse: "Antes, eu só te conhecia de ouvir falar; agora, eu te vi com meus próprios olhos. Retiro tudo que disse e me sento arrependido no pó e nas cinzas" (Jó 42.5).

O mesmo se nota quanto aos que vieram ao Senhor quando ele se manifestou em carne: aqueles que se aproximaram corretamente, buscando e recebendo bênçãos, expressaram notória noção da infinita soberania divina. Foi assim com o centurião, cujas palavras lemos no capítulo 8 de Mateus: "Senhor, não mereço que entre em minha casa" (Mt 8.8); com Jairo, que se prostrou aos pés de Cristo ao apresentar seu pedido (Mc 5.22); com o leproso, que, no Evangelho de Marcos, "ajoelhou-se diante de Jesus" (Mc 1.40); com a mulher siro-fenícia, que "veio e caiu a seus pés" (Mc 7.25); com o homem coberto de lepra, que, ao ver o Senhor, se prostrou "com o rosto em terra" (Lc 5.12). Assim também fez o discípulo amado ao falar de como todos se sentiram em relação a Cristo quando o acompanharam como seu Senhor: "Assim, a Palavra se tornou ser humano, carne e osso, e habitou entre nós. Ele era cheio de graça e verdade. E vimos sua glória, a glória do Filho único do Pai" (Jo 1.14). A despeito de serem companheiros íntimos de Cristo e de o amarem com ternura, eles o reverenciaram tanto quanto o acompanharam, e o adoraram tanto quanto o amaram.

Podemos dizer de todo ato de oração o mesmo que George Herbert afirmou sobre a adoração pública:

Tendo posto os pés na igreja, descalça-os;
Deus é maior que tu, pois estás ali
Apenas por permissão dele. Então, atenta-te,
E sê todo reverência e temor.
Ao ajoelhar-te, não estragarás tuas meias de seda; deixa de
    pose.
Todos são iguais uma vez adentrado o portão da igreja.

O sábio diz:

Quando você entrar na casa de Deus, tome cuidado com o que faz e ouça com atenção. Age mal quem apresenta ofertas a Deus sem pensar. Não se precipite em fazer promessas nem em apresentar suas questões a Deus. Afinal, Deus está nos céus, e você, na terra; portanto, fale pouco.

Eclesiastes 5.1-2

Se lutamos para alcançar uma vida melhor e conhecer um pouco da santidade e da pureza de Deus, precisamos ser conduzidos ao contato com ele, para que ele se revele a nós. Então, devemos nos posicionar diante de Deus como aqueles homens de outrora foram constrangidos a fazer. Devemos santificar o nome dele, como o Mestre ensinou a seus discípulos, quando disse: "Santificado seja o teu nome" (Mt 6.9). Quando penso na irreverência do tempo presente, parece-me que chegamos aos dias maus.

Que nós, como cristãos, ao nos aproximarmos de Deus em oração, ofereçamos a ele seu devido lugar. "Sejamos gratos e agrademos a Deus adorando-o com reverência e santo temor. Porque nosso Deus é um fogo consumidor" (Hb 12.28-29).

A Trindade

Tu, prezada e misteriosa Trindade,
    Sejas para sempre adorada,
Por tua graça em toda eternidade
    Em nosso Redentor abrigada.

À ancestral graça do Pai cantarei,
    Pois quis a liberdade nos dar,
Ao enviar Cristo, nosso Deus e Rei,
    Para sofrer em nosso lugar.

Ao amado Filho, pleno de luz,
    Dirijo-me com veneração,
Por toda graça, pela morte na cruz,
    Por sua reluzente retidão.

Ao Santo Espírito, que muito operou
    Com seu grande poder,
Que inspira os que com sangue comprou,
    A voz elevo com todo o meu ser.

Assim, ao Eterno e Trino Deus,
    Por sua graça e infinda glória,
Em adoração nos unimos, filhos seus,
    Ao esplendor de sua misericórdia.

3
Confissão

Outro elemento da verdadeira oração é a CONFISSÃO. Não quero que meus amigos cristãos pensem que estou me dirigindo aos não salvos. Acredito que, como cristãos, temos muitos pecados a confessar.

Se você voltar aos registros das Escrituras, descobrirá que aqueles que viveram mais perto de Deus e tiveram mais poder na companhia dele foram os que confessaram seus pecados e faltas. Daniel, como vimos, confessou seus pecados e também os de seu povo; e não há nenhum apontamento contra esse profeta. Em sua época, Daniel foi um dos homens mais excelentes da face da terra; ainda assim, sua confissão de pecados é uma das mais intensas e humildes de que se tem registro. Brooks, ao se referir a ela, diz:

> Nessas palavras, são expostas sete circunstâncias, às quais Daniel se refere enquanto confessa seus pecados e os do povo, realçando-os e agravando-os. Primeiro, "temos pecado"; segundo, "temos cometido iniquidades"; terceiro, "procedemos perversamente"; quarto, "fomos rebeldes"; quinto, "apartamo-nos dos teus mandamentos e dos teus juízos"; sexto, "não demos ouvidos aos teus servos"; sétimo, que falaram a "nossos reis, nossos príncipes e nossos pais, como também a todo o povo da terra" (Dn 9.4-6, RA). Esses sete agravantes que Daniel menciona em sua confissão merecem séria atenção de nossa parte.

Jó foi, sem dúvida, um homem santo, um príncipe poderoso; no entanto, teve de cair ao pó e confessar seus pecados. Você encontrará situações como essa ao longo de toda a Escritura. Quando Isaías viu a pureza e a santidade de Deus, pôde contemplar a verdadeira luz, ao que exclamou: "Estou perdido! É o meu fim, pois sou um homem de lábios impuros" (Is 6.5).

Acredito fortemente que a igreja de Deus terá de confessar seus próprios pecados antes que possa experimentar algo grandioso operado pela graça. Deve haver um trabalho mais profundo entre o povo que crê em Deus. Às vezes, penso que é tempo de abandonar a pregação aos ímpios e pregar àqueles que se professam cristãos. Se tivéssemos um padrão de vida mais elevado na igreja de Deus, haveria milhares mais se achegando ao reino de Deus. Isso era o que ocorria no passado; quando os crentes, os filhos de Deus, deixavam para trás seus pecados e ídolos, o temor do Senhor recaía sobre quem estivesse por perto. Retome a história de Israel e perceberá que, quando eles se desfaziam de deuses estranhos, Deus visitava a nação, sobre a qual vinha a poderosa obra da graça.

O que desejo ver nestes dias é um verdadeiro e profundo reavivamento da igreja de Deus. Tenho pouca simpatia pela ideia de que Deus alcançará as massas por meio de uma igreja fria e formal. O juízo divino deve começar em nós. Nota-se isso quando se observa que Daniel recebeu a maravilhosa resposta à oração registrada no capítulo 9 de seu livro enquanto confessava seu pecado. De toda a Bíblia, esse é um dos melhores textos sobre oração.

Lemos:

> Continuei a orar e a confessar meu pecado e o pecado de meu povo, Israel, suplicando ao Senhor, meu Deus, por Jerusalém, seu santo monte. Enquanto eu orava, Gabriel, que

eu tinha visto na visão anterior, veio a mim depressa, na hora do sacrifício da tarde. Ele explicou: "Daniel, vim lhe dar percepção e entendimento".

Daniel 9.20-22

Também, enquanto Jó confessava seu pecado, Deus pôs fim a seu cativeiro e ouviu sua oração. Deus ouvirá nossa prece e reverterá nosso cativeiro quando ocuparmos nosso verdadeiro lugar diante dele e confessarmos e abandonarmos nossas transgressões. Foi quando Isaías clamou diante do Senhor "Estou perdido!" que a bênção veio: a brasa ardente foi tirada do altar e colocada sobre seus lábios; então, ele saiu para escrever um dos mais formidáveis livros que o mundo já viu. Que tremenda bênção para a igreja!

Foi quando Davi disse "Pequei contra o SENHOR" (2Sm 12.13) que Deus agiu misericordiosamente sobre ele. "Confessei a ti todos os meus pecados e não escondi mais a minha culpa. Disse comigo: 'Confessarei ao SENHOR a minha rebeldia', e tu perdoaste toda a minha culpa'" (Sl 32.5). Perceba que é bastante semelhante à do filho pródigo no capítulo 15 de Lucas a confissão que Davi faz aqui: "Pois reconheço minha rebeldia; meu pecado me persegue todo o tempo. Pequei contra ti, somente contra ti; fiz o que é mau aos teus olhos" (Sl 51.3-4). Não há nenhuma diferença entre o rei e o mendigo quando o Espírito de Deus lhes vêm ao coração e os convence do pecado.

Richard Sibbes trata da confissão de modo bem peculiar:

Esta é a maneira de dar glórias a Deus: derramando-lhe nossa alma e fazendo isso contra nós mesmos, como o diabo fará, pois devemos ter em mente que o diabo nos acusará à hora de nossa morte e no dia do juízo. O diabo nos denunciará pesadamente por causa disso ou daquilo; então, que nos acusemos como ele acusará, como ele se apressará em fazer. Quanto mais nos acusamos e nos julgamos, erigindo um tribunal em nosso coração, maior a certeza de que alcançaremos inacreditável alívio. Jonas foi lançado ao mar, e houve alívio no barco; Acã foi apedrejado, e a tormenta cessou. Expulsemos Jonas, expulsemos Acã; então, alívio e tranquilidade virão como resultado imediato e teremos nossa consciência maravilhosamente confortada.

Há que ser assim, pois, quando Deus é honrado, a consciência é purificada. Deus recebe honra por meio de toda forma de confissão de pecados. Isso honra sua onisciência, pois ele tudo vê; Deus vê nossos pecados e sonda nosso coração; nossos segredos não lhe são ocultos. Isso honra seu poder. O que nos leva a confessar nossos pecados a despeito de recearmos seu poder e mesmo sabendo que ele pode acabar com a nossa vida? E o que nos move à confissão sabendo que ele é misericordioso, embora deva ser temido, e que há perdão de pecados? Ora, se assim não fosse, não confessaríamos. Entre homens, o que vale é: "Confesse e seja executado"; mas, com Deus, é: "Confesse e receba misericórdia". Essa é a sentença que vem dele. Não devemos apresentar nossos pecados a não ser pela expectativa da misericórdia. Isso é o que honra a Deus; e, uma vez honrado, ele honra nossa alma com tranquilidade e paz interior.

O velho Thomas Fuller afirmou: "A apropriação da própria fraqueza pelo homem é o único ramo no qual Deus enxertará a graça de seu auxílio".

A confissão implica humildade, e isso, à vista de Deus, tem grande valor.

Um agricultor foi com seu filho até um campo de trigo para ver se o grão estava pronto para a colheita.

— Veja, pai, como estas espigas têm as pontas eretas! — exclamou o rapaz. — Devem ser as melhores de todas. As que estão curvadas certamente não terão muito proveito.

O agricultor arrancou uma haste de cada tipo e disse:

— Olhe aqui, parvo garoto! Esta haste, que se mantém ereta, tem a ponta leve e não serve para quase nada; mas aquela, que pende para baixo de maneira tão singela, está cheia do mais perfeito grão.

A sinceridade, tanto da parte de Deus quanto da parte do ser humano, é necessária e poderosa. Precisamos ser honestos e francos com nós mesmos. Durante uma reunião de avivamento, um soldado falou: "Companheiros de ofício, eu não estou eufórico; estou *convencido*, apenas isso. Sinto que devo ser um cristão; sinto que devo dizer isso, contar-lhes isso e convidá-los a virem comigo; e, se há um chamado para que pecadores em busca de Cristo decidam segui-lo, devo atender a essa convocação de uma vez por todas, não para me exibir, pois não tenho nada a mostrar senão meus pecados. Não faço isso porque desejo — preferiria permanecer assentado —, mas porque fazê-lo implica dizer a verdade. Preciso ser um cristão, quero ser um cristão, e ir à frente para receber oração é simplesmente manifestar essa verdade". Mais de vinte colegas o acompanharam.

Ao comentar as palavras do faraó, "Supliquem ao SENHOR que afaste as rãs de mim" (Êx 8.8), o sr. Spurgeon afirma:

> Esse pedido revela uma falha fatal: *não contém nenhuma confissão de pecados*. O faraó não diz "Eu me rebelei contra o Senhor; roguem que eu encontre perdão!"; nada disso. Ele continua amando o pecado tanto quanto antes. Súplica sem penitência é súplica não atendida: se não foi coberta por uma lágrima sequer, estará murcha. Vocês devem achegar--se a Deus como pecadores mediados por um Salvador, e somente dessa maneira. Quem se aproxima de Deus como o fariseu, dizendo: "Eu te agradeço, Deus, porque não sou como as demais pessoas" (Lc 18.11), nunca se achega a Deus

de fato; mas aquele que clama: "Deus, tem misericórdia de mim, pois sou pecador" (Lc 18.13), vem a Deus pelo caminho que o próprio Deus recomendou. Se não houver confissão de pecados diante de Deus, nossa oração será falha.

Se essa confissão estiver viva entre os crentes, também será assim entre os ímpios. Nunca vi essa verdade falhar. Agora, estou ansioso para que Deus reavive sua obra no coração de seus filhos, e, então, vejamos a excessiva sordidez do pecado. Há muitos pais e mães ansiosos pela conversão de seus filhos. Numa única semana, recebi nada menos que umas cinquenta mensagens de pais e mães perguntando por que seus filhos não são salvos e pedindo orações por eles. Arrisco-me a dizer que, via de regra, o erro está em nossa própria casa. É possível que haja algo em sua vida que lhes sirva de obstáculo; pode haver algum pecado secreto retendo a bênção. Durante muitos meses, antes da aparição de Natã, Davi viveu no tenebroso pecado em que caíra. Oremos a Deus para que venha ao nosso coração fazendo-nos perceber seu amor. Se há um olho direito, que o arranquemos; se há aquela mão direita, que a cortemos fora, a fim de que tenhamos poder em Deus e entre as pessoas.

Por que razão muitos de nossos filhos perambulam por bares e se desviam rumo à infidelidade, descendo a uma cova desonrosa? Parece haver pouquíssimo poder no cristianismo atual. Muitos pais e mães piedosos descobrem que seus filhos estão se perdendo. Será isso o resultado de algum pecado secreto que cerca o coração? Há, na Palavra de Deus, uma passagem citada com muita frequência, mas, em noventa e nove por cento dos casos, quem a ela se refere não se atém ao trecho apropriado. No capítulo 59 de Isaías, lemos: "Ouçam! O braço do Senhor não é fraco demais para salvá-los, nem seu ouvido é surdo para ouvi-los" (Is 59.1). As pessoas param aí. É evidente que a mão de Deus não é fraca e que seu ouvido não é surdo; mas devemos ler os versículos seguintes:

> Foram suas maldades que os separaram de Deus;
> por causa de seus pecados, ele se afastou
> e já não os ouvirá.
> Suas mãos estão manchadas de sangue,
> e seus dedos, imundos de pecado.
> Seus lábios estão cheios de mentiras,
> e sua boca transborda de corrupção.
>
> Isaías 59.2-3

Como diz Matthew Henry: "Devia-se a eles mesmos: eles se mantiveram em sua própria luz, fecharam as próprias portas. Deus vinha ao encontro deles em misericórdia, e o estorvaram. 'Seu pecado lhes tomou todas essas coisas boas' (Jr 5.25)".

Tenha em mente que, se acolhemos a iniquidade em nosso coração ou vivemos uma fé vazia, não há nada que nos faculte esperar que nossas orações sejam atendidas. Não há uma promessa sequer em nosso favor. Às vezes, tremo ao ouvir alguém citar promessas dizendo que Deus é fiel para cumpri-las, quando há algo na vida dessa pessoa do qual ela não quer se desfazer. É bom que examinemos o coração e descubramos por que nossas orações não têm resposta.

Há uma passagem bastante solene em Isaías:

> Ouçam a palavra do SENHOR, líderes de "Sodoma"!
> Prestem atenção à lei de nosso Deus, povo de
> "Gomorra"!
> "O que os faz pensar que desejo seus muitos sacrifícios?",
> diz o SENHOR.
> "Estou farto de holocaustos de carneiros
> e da gordura de novilhos gordos.

Não tenho prazer no sangue de touros,
de cordeiros e de bodes.
Quem lhes pediu que fizessem esse alvoroço por meus pátios
quando vêm me adorar?
Parem de trazer ofertas inúteis;
o incenso que oferecem me dá náusea!
Suas festas de lua nova, seus sábados
e seus dias especiais de jejum
são pecaminosos e falsos;
não aguento mais suas reuniões solenes!"

Isaías 1.10-13

"Não aguento mais suas reuniões solenes!" Pense nisso. Se Deus não receber culto do nosso coração, ele não aceitará nenhum outro, pois lhe será abominável.

"Odeio suas festas de lua nova e celebrações anuais;
são um peso para mim, não as suporto!
Não olharei para vocês quando levantarem as mãos para
orar;
ainda que ofereçam muitas orações, não os ouvirei,
pois suas mãos estão cobertas de sangue.
Lavem-se e limpem-se!
Removam seus pecados de minha vista
e parem de fazer o mal.
Aprendam a fazer o bem
e busquem a justiça.
Ajudem os oprimidos,
defendam a causa dos órfãos,
lutem pelos direitos das viúvas.

"Venham, vamos resolver este assunto",
diz o Senhor.

"Embora seus pecados sejam como o escarlate,
  eu os tornarei brancos como a neve;
embora sejam vermelhos como o carmesim,
  eu os tornarei brancos como a lã."

Isaías 1.14-18

Igualmente, em Provérbios, lemos: "As orações de quem se recusa a ouvir a lei são detestáveis para Deus" (Pv 28.9). Reflita sobre isso! Pode ser chocante para alguns de nós saber que nossas orações são abominadas por Deus, mas, se vivemos deliberadamente no pecado, isso é o que diz a Palavra do Senhor sobre elas. Se não desejamos deixar o pecado e obedecer à lei divina, não temos nenhum direito de esperar que Deus responda às nossas orações. Pecado não confessado é pecado não perdoado, e pecado não perdoado é o que há de mais sombrio e mais torpe neste mundo amaldiçoado pelo pecado. Não se pode achar na Bíblia um só caso em que um homem tenha sido honesto acerca de seu pecado e Deus não tenha sido honesto para com ele, recusando-se a abençoá-lo. A oração do humilde e contrito de coração é um deleite para Deus. Desta terra amaldiçoada pelo pecado, não sobe som mais agradável aos ouvidos divinos que a oração do homem que anda de maneira íntegra.

Deixe-me chamar atenção para aquela oração em que Davi diz:

Examina-me, ó Deus, e conhece meu coração;
  prova-me e vê meus pensamentos.
Mostra-me se há em mim algo que te ofende
  e conduze-me pelo caminho eterno.

Salmos 139.23-24

Eu gostaria que todos os meus leitores guardassem esses versos na memória. Se fizéssemos essa oração honestamente todos os dias, nossa vida experimentaria grandes mudanças. "*Examina*-ME", não ao meu próximo. É tão fácil orar por outras pessoas, mas tão difícil dar conta de nós mesmos. Receio que, muito frequentemente, estejamos ocupados na obra do Senhor e correndo o risco de negligenciar nossa vinha. Nesse salmo, Davi deu conta de si. Há uma diferença entre ser examinado por Deus e ser examinado por mim mesmo. Posso sondar meu coração e dizer que está tudo bem, mas, quando Deus me examina como quem dispõe de um foco de luz, saltam à vista muitas coisas que talvez eu desconheça por completo.

"*Prova-me.*" Davi foi provado quando caiu ao desviar os olhos para longe do Deus de seu pai Abraão. "*Vê meus pensamentos.*" Deus sabe o que pensamos. Nossos pensamentos são puros? Há, em nosso coração, ideias contra Deus e seu povo, contra qualquer pessoa neste mundo? Se houver, aos olhos de Deus não há retidão em nós. Ah, que Deus nos sonde a todos! Não conheço oração melhor que possamos fazer a não ser essa apresentada por Davi. Uma das coisas mais sérias relatadas nas Escrituras é que quando homens santos — homens melhores que nós — foram testados e provados, eles se mostraram tão fracos quanto água enquanto andaram distantes de Deus. Certifiquemo-nos de estar em retidão. Isaac Ambrose, em sua obra sobre julgar a si próprio, traz estas palavras incisivas:

Vez ou outra, devemos propor a nosso coração estes dois questionamentos:

1. "Coração, como estás?": poucas palavras formando uma indagação bastante séria. Sabemos que essa é a primeira pergunta e a primeira saudação que fazemos uns aos outros: "Como está?". Quem dera ocasionalmente perguntássemos: "Coração, como estás? Como te sentes em relação ao teu estado espiritual?".

2. "Coração, que vais fazer?" ou "Coração, o que achas que vai ser de ti e de mim?": como disse um romano à beira da morte: "Pobre, maldita e miserável alma, para onde iremos tu e eu, e o que será de ti quando nos separarmos?".

É justamente isso o que Moisés propõe a Israel, embora o faça em outros termos: "Ah, se soubessem o fim que os espera!" (Dt 32.29), e, ah, quem dera se mantivéssemos essa pergunta sempre em nosso coração, se a considerássemos e refletíssemos sobre ela! "Consultem o coração" (Sl 4.4, NAA), disse Davi, ou seja, debata profundamente sobre esse assunto com seu coração. Deixe que ele e seus ouvidos estejam em tamanha comunhão, de modo que possa falar-lhe intimamente. Comungue — mantenha real comunicação, clareza e relacionamento — com seu coração.

Esta foi a confissão de um santo ciente de sua negligência e, em especial, da dificuldade de seu encargo: "Vivi quarenta e poucos anos carregando meu coração no peito durante todo esse tempo; ainda assim, somos totalmente desconhecidos um do outro, não temos nenhum relacionamento, como se jamais tivéssemos nos aproximado. Não, não conheço meu coração; eu me esqueci dele. Ai de mim! Ai de mim! Lamento intensamente o fato de meu coração e eu sermos tão distantes um do outro!". Caímos em uma espécie de Era de Atenas, gastando nosso tempo em meras trocas de notícias. Como vão as coisas por aqui? E por ali? Como vão acolá? E em tal lugar? Porém, quem há que se mostre inquisitivo e se pergunte: "Como vão as coisas em meu pobre coração"? Pondere com grave consideração: Quanto tempo despendemos nessa tarefa e quanto tempo dedicamos a outras? Das muitas centenas de horas ou dias que deveríamos dedicar a essa responsabilidade para com nosso próprio coração, conseguimos somar ao menos cinquenta? Ou, se tivéssemos de apresentar cinquenta vasos cheios de nossa dedicação a esse dever, conseguiríamos reunir sequer vinte?

Dez? Ah, quantos dias, meses e anos regalamos ao pecado, à vaidade, aos assuntos deste mundo, sem sustentar nem ao menos um minuto de conversa com nosso próprio coração acerca daquilo que lhe diz respeito!

Se há algo de errado em nossa vida, peçamos a Deus que nos mostre o que é. Temos sido egoístas? Temos sido mais zelosos de nossa reputação que da honra de Deus? Elias achava-se muito zeloso da honra divina, mas, afinal, constatou-se que ele se importava com sua própria honra — no fundo, tinha a ver com seu ego. Penso que uma das coisas mais lastimáveis com que Cristo teve de lidar em relação a seus discípulos era justamente isso: eles viviam em constante disputa quanto a quem seria o mais importante, ao invés de procurar ocupar, cada um, a posição mais humilde e considerar-se o menor deles.

Temos prova disso quando somos informados do seguinte:

Depois que chegaram a Cafarnaum e se acomodaram numa casa, Jesus perguntou a seus discípulos: "Sobre o que vocês discutiam no caminho?". Eles não responderam, pois tinham discutido sobre qual deles era o maior. Jesus se sentou, chamou os Doze e disse: "Quem quiser ser o primeiro, que se torne o último e seja servo de todos".

Então colocou uma criança no meio deles, tomou-a nos braços e disse: "Quem recebe uma criança pequena como esta em meu nome recebe a mim, e quem me recebe não recebe apenas a mim, mas também ao Pai, que me enviou".

Marcos 9.33-37

Pouco depois:

Tiago e João, filhos de Zebedeu, vieram e falaram com ele: "Mestre, queremos que nos faça um favor".

"Que favor é esse?", perguntou ele.

Eles responderam: "Quando o senhor se sentar em seu trono glorioso, queremos nos sentar em lugares de honra ao seu lado, um à sua direita e outro à sua esquerda".

Jesus lhes disse: "Vocês não sabem o que estão pedindo! São capazes de beber do cálice que beberei? São capazes de ser batizados com o batismo com que serei batizado?".

"Somos!", responderam eles.

Então Jesus disse: "De fato, vocês beberão do meu cálice e serão batizados com o meu batismo. Não cabe a mim, no entanto, dizer quem se sentará à minha direita ou à minha esquerda. Esses lugares serão daqueles para quem eles foram preparados".

Quando os outros dez discípulos ouviram o que Tiago e João haviam pedido, ficaram indignados. Então Jesus os reuniu e disse: "Vocês sabem que os que são considerados líderes neste mundo têm poder sobre o povo, e que os oficiais exercem sua autoridade sobre os súditos. Entre vocês, porém, será diferente. Quem quiser ser o líder entre vocês, que seja servo, e quem quiser ser o primeiro entre vocês, que se torne escravo de todos. Pois nem mesmo o Filho do Homem veio para ser servido, mas para servir e dar sua vida em resgate por muitos".

Marcos 10.35-45

Essas palavras foram ditas no terceiro ano do ministério de Jesus. Durante três anos, os discípulos haviam andado com ele e escutado as palavras que saíram de seus lábios; ainda assim, falharam em aprender essa lição de humildade. A coisa mais vexatória ocorrida entre os doze escolhidos aconteceu na noite em que nosso Senhor foi traído, quando Judas o vendeu e Pedro o negou. Se havia um local onde tais ações não deveriam nem mesmo ser cogitadas era a mesa da Ceia. Entretanto, descobrimos que, enquanto Cristo instituía esse bendito memorial, seus discípulos debatiam sobre quem deveria ser o maior. Pense nisso: à sombra da cruz, sentindo-se "profundamente triste, a ponto de morrer" (Mt 26.38), o Mestre já experimentava o sabor amargo do Calvário, e os horrores da hora escura se acumulavam sobre sua alma.

Creio que, se Deus nos examinar, teremos muito que confessar. Se formos provados e testados pela lei divina, haverá muito, muito que mudar. Pergunto novamente: Somos egoístas ou ciumentos? Estamos dispostos a saber que outras pessoas estão sendo mais usadas por Deus do que nós? Nossos amigos metodistas estão dispostos a ouvir que obra de Deus tem experimentado grande reavivamento entre os batistas? A alma deles se regozijaria em saber que os esforços destes irmãos têm sido abençoados? Os batistas estão dispostos a ouvir que a obra de Deus tem sido reavivada em igrejas metodistas, congregacionais e de outras denominações? Se estivermos cheios de sentimentos mesquinhos, partidaristas e sectários, há muita coisa a abandonar. Oremos a Deus para que nos examine e nos prove e veja se há em nós algo que o ofenda. Se homens santos e piedosos se reconheceram falhos, acaso não deveríamos estremecer e nos empenhar em descobrir se existe algo em nossa vida pelo qual Deus haveria de nos rejeitar?

Agora, deixe-me chamar sua atenção para a oração de Davi no salmo 51. Há alguns anos, um amigo me contou que repetia essa prece toda semana. Acredito que seria bom se apresentássemos tais petições frequentemente, deixando-as subir de nosso coração. Tendo sido orgulhosos, irritáveis ou impacientes, não deveríamos confessar isso de uma vez por todas? Não será tempo de endireitar nossa vida, a começar por nossa casa? Faça isso e veja com que rapidez os ímpios começarão a indagar sobre o modo como você vive! Nós, pais e mães, devemos colocar nossa casa em ordem e nos encher do Espírito de Cristo; assim, não demorará para que nossos filhos questionem o que devem fazer para receber o mesmo Espírito. Creio que hoje, por sua mornidão e formalidade, a igreja cristã tem produzido mais incrédulos do que todos os livros já escritos por incrédulos. O receio que sinto em relação às palavras dos incrédulos não corresponde nem à metade do pavor que tenho do frio e morto formalismo praticado pela igreja atual. Uma reunião de oração como aquela de que os discípulos participaram no dia de Pentecoste sacudiria toda a cristandade incrédula.

Queremos ter pleno acesso a Deus por meio da oração. Não se alcançam as massas com excelentes sermões. Desejamos "mover o Braço que move o mundo" e, para isso, devemos ser limpos e corretos diante de Deus.

Ainda que a consciência nos condene, Deus é maior que nossa consciência e sabe todas as coisas. Amados, se a consciência não nos condena, podemos ir a Deus com total confiança e dele receberemos tudo que pedirmos, pois lhe obedecemos e fazemos o que lhe agrada.

1João 3.20-22

Confissão

Sem desespero
  Venho a ti;
Sem desconfiança
  Dobro os joelhos;
O pecado me abateu,
Mas, em minha defesa,
  Jesus morreu.

Ah, iniquidade
    Como o carmesim,
Infinda, infinda,
    Vez após vez;
O pecado de não te amar,
O pecado de não esperar em ti;
    Pecado sem fim.

Contrito, Senhor,
    Confesso-te meu pecado;
Revelo tudo o que fui
    E o que sou.
Expia meu pecado de uma vez,
Lava hoje a minh'alma;
    Teu amor, Senhor, puro me fez!

Dr. H. Bonar

4
Restituição

O terceiro elemento da oração exitosa é a RESTITUIÇÃO. Se alguma vez tomei para mim algo que não me pertencia e não estou disposto a restituí-lo, minhas orações não subirão muito alto. Esse é um assunto bem peculiar, mas toda vez que me refiro a ele em meus sermões fico sabendo de resultados imediatos. Em certa ocasião, um homem me disse que não haveria necessidade de tratar dessa questão durante um encontro do qual eu estava prestes a participar, visto que ninguém ali precisava restituir nada. Mas creio que, se o Espírito de Deus examinar nosso coração, descobriremos que há muitas coisas por fazer das quais não tínhamos a menor ideia.

Depois de encontrar-se com Cristo, Zaqueu notou que tudo parecia estar diferente. Arrisco-me a dizer que a noção de restituição jamais lhe ocorrera. É bem provável que, naquela manhã, ele tenha se considerado um homem perfeitamente honesto. Mas, quando o Senhor se aproximou e falou com Zaqueu, este se viu sob uma luz muito distinta. Perceba como sua fala foi curta. A única coisa de que se tem registro é que ele disse: "Senhor, darei metade das minhas riquezas aos pobres. E, se explorei alguém na cobrança de impostos, devolverei quatro vezes mais!" (Lc 19.8). Eis um breve discurso cujas palavras ecoam até nós através dos tempos!

Ao fazer esse comentário, Zaqueu confessou seu pecado: o de haver sido desonesto. Ademais, revelou conhecer os mandamentos da lei de Moisés. Caso um homem se apossasse de algo que não era seu, deveria não apenas devolvê-lo, mas fazer isso em quantidade quatro vezes maior. Penso que, nesta dispensação, os homens devem ser tão integralmente honestos quanto aqueles que viviam sob a lei. Tenho me sentido cansado e enojado do mero sentimentalismo, o qual não endireita a vida de ninguém. Podemos cantar nossos hinos e salmos e apresentar preces, mas isso será abominação para Deus a menos que estejamos dispostos a viver dia após dia em plena retidão. Nada fará o cristianismo impactar tanto o mundo quanto a iniciativa, dos crentes em Deus, de viver dessa maneira. É bem provável que, depois da restituição, Zaqueu tenha se tornado mais influente que qualquer outro homem em Jericó.

Finney, em seus sermões a cristãos professos, diz:

> Uma das razões de haver a ordenança "não vos conformeis com este mundo" (Rm 12.2, RC) é a enorme, salutar e instantânea influência que ela pode exercer se todos gerirem seus negócios de acordo com os princípios do evangelho. Virem a mesa e deixem que, durante um ano, os cristãos negociem segundo os valores do evangelho. Isso chacoalharia o mundo, ressoaria mais alto que trovão! Que os ímpios vejam cristãos professos considerarem o bem daqueles com quem fazem transações, buscando riquezas não apenas para si mas para todos, vivendo de modo superior à vida mundana, sem valorizar, neste mundo, nada que não sirva para a glória de Deus; que efeitos vocês acham que isso teria? O mundo se cobriria de vergonha e sentiria o peso do convencimento acerca do próprio pecado.

Finney aponta a restituição como um grande sinal de arrependimento:

> O ladrão que retém o dinheiro que roubou não se arrependeu. Ele pode até ter reconhecido seu crime, mas não houve

arrependimento; se houvesse, o dinheiro teria sido devolvido. Se você enganou alguém e não reparou o malefício, ou se prejudicou alguém e não fez nada para corrigir os danos que causou, naquilo que lhe diz respeito, você não está de fato arrependido.

Em Êxodo, lemos:

Se alguém roubar um boi, um jumento ou uma ovelha e o animal for encontrado vivo, em poder do ladrão, ele pagará o dobro do valor do animal roubado.

Se um animal estiver pastando no campo ou na videira e o dono o soltar para pastar no campo de outra pessoa, o dono do animal entregará como indenização o melhor de seus cereais ou de suas uvas.

Se alguém estiver queimando espinheiros e o fogo se espalhar para o campo de outra pessoa e destruir o cereal já colhido, ou a plantação pronta para a colheita, ou a lavoura inteira, aquele que começou o fogo pagará por todo o prejuízo.

Êxodo 22.4-6

Voltando-nos para Levítico, onde se estabelece a lei acerca da oferta de transgressão, essa questão é enfatizada com a mesma clareza e a mesma intensidade:

Quando alguém pecar, enganando seu próximo, também estará cometendo um delito contra o Senhor. Se esse alguém for desonesto num negócio que envolve depósito como garantia, ou roubar, ou praticar extorsão, ou encontrar um objeto e negar que o encontrou, ou mentir depois de jurar dizer a verdade a respeito desse pecado, ou alguma prática semelhante, será culpado pelo pecado que cometeu. Devolverá o que roubou, ou o valor que extorquiu, ou o depósito feito como garantia, ou o objeto perdido que encontrou, ou qualquer coisa que tenha obtido com juramento falso. Fará restituição pagando à pessoa prejudicada o total, com um acréscimo de um quinto do valor. No mesmo dia, apresentará uma oferta pela culpa.

Levítico 6.2-5

O assunto também se repete em Números, onde se lê:

Então o SENHOR disse a Moisés: "Dê as seguintes instruções ao povo de Israel. Se alguém do povo, homem ou mulher, ofender ao SENHOR prejudicando outra pessoa, será culpado. Confessará seu pecado e pagará indenização completa pelo dano causado, com um acréscimo de um quinto do valor, e entregará o total à pessoa prejudicada. Mas, se a pessoa prejudicada não tiver parentes próximos para receber a indenização, o valor pertencerá ao SENHOR e será entregue ao sacerdote. O culpado também levará um carneiro como sacrifício para fazer expiação por ele".

Números 5.5-8

Essas foram as leis que Deus ordenou a seu povo, e creio que os princípios que as norteiam são tão irrevogáveis hoje quanto eram naquela época. Se tomamos algo de alguém ou se, de algum modo, defraudamos alguma pessoa, devemos não apenas confessar isso, mas fazer todo o possível para que haja restituição. Se desvirtuamos alguém — se demos início a algum tipo de maledicência ou falso testemunho acerca dessa pessoa —, devemos fazer tudo o que estiver ao nosso alcance para reparar esse erro.

Aludindo a essa retidão pragmática, Deus diz, em Isaías:

De que adianta jejuar,
   se continuam a brigar e discutir?
Com esse tipo de jejum,
   não ouvirei suas orações.

Vocês se humilham
ao cumprir os rituais:
curvam a cabeça,
como junco ao vento,
vestem-se de pano de saco
e cobrem-se de cinzas.
É isso que chamam de jejum?
Acreditam mesmo que agradará o Senhor?

Este é o tipo de jejum que desejo:
Soltem os que foram presos injustamente,
aliviem as cargas de seus empregados.
Libertem os oprimidos,
removam as correntes que prendem as pessoas.
Repartam seu alimento com os famintos,
ofereçam abrigo aos que não têm casa.
Deem roupas aos que precisam,
não se escondam dos que carecem de ajuda.

Então sua luz virá como o amanhecer,
e suas feridas sararão num instante.
Sua justiça os conduzirá adiante,
e a glória do Senhor os protegerá na retaguarda.
Então vocês clamarão, e o Senhor responderá.
"Aqui estou", ele dirá.

Isaías 58.4-9

Trapp, em seu comentário sobre Zaqueu, diz:

O sultão Selim poderia afirmar a seu conselheiro Pirro — que o persuadira a oferecer a enorme riqueza tomada dos mercadores persas a algum destacado sanatório, a fim de ajudar os pobres — que Deus odeia holocaustos feitos com objetos de roubo. À beira da morte, o turco ordenou que os bens fossem restituídos a seus verdadeiros donos, e assim se fez, para grande vergonha de muitos cristãos que ignoram a restituição mais que qualquer outra coisa. Quando Henrique III da Inglaterra enviou aos Frades Menores um carregamento de frisos para revestir o convento em que moravam, os religiosos devolveram a carga acompanhada desta mensagem: "O rei não deve fazer caridade com aquilo que tomou dos pobres; tampouco os frades aceitarão tão abominável oferta". O mestre Latimer diz: "Se não restituíres os bens que confiscou, serás acometido de tosse no inferno, e os demônios rirão de ti'". Em seu testamento, Henrique VII determinou, como último desejo, que, uma vez que seu corpo se separasse da alma, todo o dinheiro de impostos indevidamente recolhidos por seus oficiais fosse restituído. A rainha Maria I restituiu todos os bens da igreja apropriados pela coroa, argumentando que se interessava mais pela salvação de sua alma do que por dez reinos. Também foi emitida, à mesma época, uma bula papal segundo a qual todos deveriam fazer o mesmo, mas ninguém o fez. Latimer nos conta que, no primeiro dia em que pregou sobre restituição, alguém veio até ele e lhe deu vinte libras; no dia seguinte, outro lhe trouxe trinta libras; em outra ocasião, outro lhe deu duzentas libras.

O sr. Bradford, ao ouvir Latimer tratar desse assunto, teve o coração fustigado em razão de uma nota que fizera sem o conhecimento de seu mestre, e não descansou até que, aconselhado pelo sr. Latimer, procedeu à restituição, pelo que voluntariamente renunciou a todo patrimônio de que tivesse posse nesta terra. "Eu mesmo", afirma o sr. Barroughs, "conheci um homem que lesou outro em cinco xelins e, cinquenta anos mais tarde, ainda não havia sossegado, até que lhe restituiu essa quantia."

Se houver verdadeiro arrependimento, isso resultará em frutos. Se causamos mal a alguém, só devemos pedir que Deus nos perdoe quando estivermos dispostos a reparar o dano. Caso eu tenha cometido grande injustiça contra um homem e seja capaz de corrigir isso, não devo pedir que Deus me perdoe antes que eu queira proceder à correção. Supondo que eu tenha me apossado de algo que não me pertence, não posso esperar por perdão antes de restituir o que peguei. Lembro-me de ter pregado em uma cidade do leste onde um homem elegante me procurou ao final do sermão. Ele estava muito atordoado.

— O fato é que sou um infrator — relatou. — Peguei dinheiro que pertencia a meus funcionários. Como posso me tornar um cristão se não corrigir isso?

— Você está com esse dinheiro?

O homem respondeu que não tinha toda a quantia; havia pego em torno de mil e quinhentos dólares e dispunha de aproximadamente novecentos. E disse:

— Será que não posso pegar esse valor para fazer negócio e, assim, angariar dinheiro suficiente para pagar os funcionários?

Eu lhe falei que aquela era uma ilusão de Satanás e que não se deve esperar que dinheiro roubado resulte em prosperidade; orientei-o a restituir tudo o que tinha e a ir até os funcionários para pedir que lhe fossem misericordiosos e o perdoassem.

— Mas eles vão me mandar para a prisão — respondeu. — Não pode me ajudar de alguma forma?

— Não. Você deve restituir o dinheiro antes de esperar obter qualquer auxílio de Deus.

— Isso é muito difícil — comentou.

— Sim, é difícil. Mas o grande erro ocorreu lá atrás.

O fardo daquele homem se tornou tão pesado que, na verdade, se revelou insuportável. Ele me entregou o dinheiro — novecentos e cinquenta dólares e alguns centavos — e me pediu que o devolvesse a seus funcionários. Eu contei essa história a eles e disse que o homem desejava misericórdia, e não justiça. Com lágrimas escorrendo pelo rosto, dois dos funcionários responderam: "Perdoe-o! Sim, nós ficaremos satisfeitos em perdoá-lo". Desci ao encontro do homem e o levei até eles. Depois de ele confessar-se culpado e receber perdão, todos caímos de joelhos e tivemos uma bendita reunião de oração. Deus nos visitou e nos abençoou ali.

Outro amigo meu tentou, depois de vir a Cristo, consagrar sua vida e riqueza a Deus. No passado, ele havia negociado com o governo e tirado vantagem dessas transações. Isso lhe veio à memória, e sua consciência o importunou. Ele experimentou uma terrível batalha, com a consciência sempre o levantando e, então, o espancando. Por fim, ele emitiu um cheque no valor de mil e quinhentos dólares e o enviou ao departamento de tesouro do governo. Esse amigo me contou que recebeu uma enorme bênção depois desse ato. Isso é deparar com os frutos do arrependimento. Acredito que muitos estão clamando a Deus por luz e não a estão recebendo porque não são honestos.

Certo homem veio a uma de nossas reuniões em que esse assunto foi mencionado, e a lembrança de uma transação desonesta relampejou em sua mente. Ele se deu conta da razão de suas orações não terem obtido resposta e se reclinou "sobre o peito", como se diz nas Escrituras (Sl 35.13, RA). Ao deixar a reunião, pegou um trem até uma cidade longínqua onde, anos antes, havia defraudado seu patrão. Foi diretamente confessar-se com o antigo empregador e oferecer-lhe restituição. Depois disso, recordou-se de outra negociação na qual deixara de cumprir com suas obrigações e se empenhou em devolver uma grande quantia de dinheiro. Quando tornou a frequentar nossas reuniões, esse homem teve a alma formidavelmente abençoada por Deus. É raro encontrar alguém que demonstre ter recebido tamanha bênção.

Há alguns anos, no norte da Inglaterra, uma mulher veio até uma das reuniões com a alma visivelmente atribulada. Por certo tempo, ela pareceu incapaz de se tranquilizar. A verdade era que ela encobria algo que não estava disposta a confessar. Por fim, o fardo pesou demais, e ela disse a um obreiro:

— Nunca dobro meus joelhos em oração sem que algumas garrafas de vinho me saltem à mente.

Parece que, anos antes, quando essa mulher trabalhava como caseira, ela roubara garrafas de vinho de seu patrão. O obreiro questionou:

— Por que você não restitui o que pegou?

A mulher respondeu que o patrão tinha morrido e que, também, ela não sabia qual era a quantia correspondente.

— Há algum herdeiro vivo a quem você possa restituir isso?

Ela comentou que, um pouco longe dali, morava um filho do patrão, mas que seria muito humilhante ir até lá e, por isso, ela se afastara. Finalmente, a mulher sentiu necessidade de ter a consciência limpa a qualquer custo, então tomou o trem e foi até o local onde o filho de seu ex-patrão vivia. Carregando consigo cinco libras, ela não sabia exatamente quanto valia aquele vinho, mas estava decidida a pagá-lo de um jeito ou de outro. O homem afirmou não querer o dinheiro; porém, ela respondeu: "Não desejo ficar com essa quantia; isso tem queimado meu bolso há muito tempo". Então, ele concordou em pegar metade do valor e doar esse dinheiro a alguma obra de caridade. Quando a mulher voltou, a impressão que tive foi que ela era uma das criaturas mais felizes que eu já havia encontrado. Ela disse que não sabia ao certo se estava dentro de seu próprio corpo ou fora dele, tamanha havia sido a bênção que lhe atingira a alma.

É possível que haja algo em nossa vida que precise ser corrigido, alguma coisa que talvez tenha acontecido há vinte anos e que tenha passado despercebida até que o Espírito de Deus a trouxe à nossa memória. Se não estivermos dispostos a restituir isso, não podemos esperar que Deus nos conceda grandes bênçãos. Provavelmente, esse é o motivo de muitas de nossas orações não serem respondidas.

Limpeza primorosa

Quem almeja purificação do pecado receber
Deve ao altar de Deus toda a sua vida trazer:
    Alegrias, lágrimas, dores,
    Anseios, histórias, amores,
Sua vontade e todo o seu mais bem-querer!

Deve apresentar esse sacrifício que a tudo abarcou:
    Escolher a Deus e ousar acusar-se,
    Na tormenta e no fogo firme apegar-se
Àquele que o preço da redenção pagou.
E então confiar (não como obrigação);
    E, confiando, sem duvidar, orar e crer
    para que no devido tempo ele venha a responder:
"Tua fé o salvou; recebe a bênção".

O tempo dele acontece quando a alma
    Tudo traz e deposita sobre o altar,
    A fim de o orgulho e a presunção imolar,
E, crucificados com Cristo, em doce calma,
Somos alcançados por sua palavra que vivifica,
    Quando, então, livres da dor,
    Recebemos do Espírito o selo purificador,
E percebemos que ele, sim, nos santifica.

A. T. Allis

5
Ação de graças

A próxima coisa que quero mencionar como elemento da oração é a AÇÃO DE GRAÇAS. Devemos ser mais gratos por aquilo que recebemos de Deus. Talvez algumas de vocês, mães, tenham um filho que reclama constantemente e nunca agradece por nada. Vocês bem sabem que não há muita alegria em fazer as coisas para uma criança como essa. Quando deparamos com um pedinte que está sempre resmungando e nunca se mostra grato por aquilo que lhe oferecemos, não demora para que fechemos a porta para ele de uma vez por todas. A ingratidão é uma das coisas mais difíceis com que se lidar. O grande poeta inglês afirmou:

Sopra, sopra, vento invernal:
Não és assim tão bestial
Quanto a ingratidão humana;
Não trazes dente afiado,
Pois não és observado
Inda que, bravio, teu sopro emanes.

Impossível ser mais franco acerca desse mal que desonra quem dele é culpado. Mesmo entre cristãos, há muito a se notar acerca disso. Aqui estamos nós, recebendo bênçãos divinas dia após dia; e, contudo, quão ínfimos são o louvor e a ação de graças manifestos pela igreja de Deus!

William Gurnall, em sua obra sobre a armadura do cristão, ao referir-se à passagem "Sejam gratos em todas as circunstâncias" (1 Ts 5.18), diz:

O louvor é agradável ao íntegro. O crente ingrato carrega em si uma contradição. O mal e a ingratidão são irmãos gêmeos que vivem e morrem juntos; toda pessoa que abandona a maldade se torna agradecida. É isso o que Deus espera ver em você, foi para isso que ele o criou. Quando sua existência foi decidida no céu — sim, uma existência feliz em Cristo! —, era isso o que se tinha em vista: que você fosse "um nome e um louvor" (Sf 3.20, RA) para Deus tanto nesta terra quanto na eternidade celeste. Se assim não fosse, Deus falharia em um de seus principais desígnios. O que leva Deus a conceder bênçãos a você senão fornecer-lhe material para compor uma canção em louvor dele mesmo? "'São meu próprio povo; certamente não me trairão outra vez', por isso ele se tornou seu Salvador" (Is 63.8).

Ele procura vê-lo envolvido em negociações honestas. A quem um pai confiaria sua reputação senão a seu filho? De quem um príncipe espera lealdade senão de seus oficiais prediletos? Você está em uma condição na qual um ato de misericórdia, por menor que seja, supera em valor tudo o mais que há no mundo. Você, cristão, e seus poucos irmãos, partilham entre si o céu e a terra! De que foi que Deus os privou? Sol, lua e estrelas existem para lhes servir de luz; o mar e a terra dispõem de tesouros para que vocês os usufruam. Os outros são invasores, vocês é que são os herdeiros legítimos dessas coisas; os outros gemem à procura de alguém que os sirva. Os anjos, tanto os bons quanto os maus, estão a seu serviço; a contragosto, os maus são forçados a lhe dar assistência quando o põem à prova, devendo polir e fazer brilhar suas virtudes e abrir caminho para que você alcance auxílio ainda maior; os anjos bons servem a seu Pai celestial, e se indignam do fato de não poderem carregar você nos braços. Seu Deus não se furta de você; ele é sua porção, Pai, Esposo, Amigo. Deus se alegra nele mesmo e permite que você se satisfaça nele também. Ah, quão honroso é beber da taça de seu príncipe! "Tu os alimentas com a fartura de tua casa e deixas que bebam de teu rio de delícias" (Sl 36.8). E nada disso foi comprado com seu suor e seu sangue; o banquete foi pago por outro, que só espera que você seja grato ao Criador. Nenhuma oferta pelo pecado é exigida no evangelho; ofertas de gratidão são tudo o que Deus procura.

Stephen Charnock, ao discursar sobre louvor espiritual, diz:

O louvor de Deus é o melhor sacrifício e o melhor culto sob uma dispensação de graça redentora. É a porção primordial e eterna da adoração segundo o evangelho. O salmista, falando do tempo do evangelho, encoraja esse tipo de devoção: "Cantem ao Senhor um cântico novo! Toda a terra cante ao Senhor! Cantem ao Senhor e louvem o seu nome; proclamem todos os dias a sua salvação. Anunciem a sua glória entre as nações, contem a todos as suas maravilhas" (Sl 96.1-3). Ele começa e termina seus salmos incentivando o louvor ao Senhor! Não pode haver adoração espiritual e evangélica se, no coração, não houver louvor a Deus. O exame da adorável perfeição divina revelada no evangelho nos fará vir a Deus com mais seriedade, suplicar-lhe bênçãos com maior confiança, voar em sua direção com as asas da fé e do amor, e glorificá-lo de modo mais espiritual sempre que diante dele nos apresentarmos.

A Bíblia fala muito mais em louvor que em oração; no entanto, como são poucas nossas reuniões de louvor! Davi, em seus salmos, sempre mescla prece e louvor. Salomão comoveu muito a Deus ao orar na dedicação do templo; mas foi a voz do *louvor* que fez descer a glória que encheu a casa; pois lemos:

Então os sacerdotes saíram do lugar santo. Todos eles haviam se purificado, estivessem ou não de serviço naquele dia. E os levitas que eram músicos — Asafe, Hemã, Jedutum, e todos os seus filhos e parentes — vestiam roupas de linho fino e estavam em pé do lado leste do altar, tocando címbalos, liras e harpas. Cento e vinte sacerdotes tocando trombetas os acompanhavam. Os que tocavam trombetas e os cantores, em uníssono, louvaram e agradeceram ao Senhor. Acompanhados de trombetas, címbalos e outros instrumentos, levantaram as vozes e louvaram o Senhor com estas palavras:

"Ele é bom!
Seu amor dura para sempre!".

Nesse momento, uma densa nuvem encheu o templo do Senhor. Com isso, os sacerdotes não puderam dar continuidade a seus serviços, pois a presença gloriosa do Senhor encheu o templo de Deus.

2Crônicas 5.11-14

Também lemos sobre Josafá, que foi vitorioso sobre as hostes de Amom e Moabe mediante oração motivada por fé e gratidão a Deus.

Bem cedo, na manhã seguinte, o exército de Judá saiu para o deserto de Tecoa. No caminho, Josafá parou e disse: "Escutem-me, povo de Judá e de Jerusalém! Creiam no Senhor, seu Deus, e permanecerão firmes. Creiam em seus profetas e terão êxito".

Depois de consultar o povo, o rei nomeou cantores para irem adiante do exército, cantando e louvando o Senhor por sua santa majestade. Cantavam assim:

"Deem graças ao Senhor;
seu amor dura para sempre!".

No momento em que começaram a cantar e louvar, o Senhor trouxe confusão sobre os exércitos de Amom, Moabe e do monte Seir, e eles começaram a lutar entre si.

2Crônicas 20.20-22

Diz-se que, durante uma época de grande desalento entre os primeiros colonos da Nova Inglaterra, foi proposto, em assembleia pública, que se estabelecesse um período de jejum. Um antigo fazendeiro levantou-se dizendo que os colonos provocavam os céus com suas lamúrias; ele comentou o modo como procediam, mostrou que tinham muito pelo que agradecer e propôs que, em vez de marcar um dia de jejum, reservassem um dia para ação de graças. Assim foi feito, e costuma-se celebrar esse dia desde então.

A despeito da grandeza de nossos problemas ou da intensidade de nosso sofrimento, há lugar para a gratidão. Thomas Adams afirmou:

> Armazena no baú de sua memória não apenas o pote de maná, o pão da vida; mas também a vara de Arão, o flagelo da correção, pelo qual foste aperfeiçoado. Bendito seja o Senhor, não somente quando concede, mas quando retira, como disse Jó. Deus, o qual sabe que não se caminha sobre rosas para chegar até o céu, põe seus filhos no caminho da disciplina e, pelo fogo da correção, consome a ferrugem da corrupção. Deus envia a dificuldade e, então, ordena que clamemos a ele; promete libertação e, por fim, tudo o que requer de nós é que o glorifiquemos. "Então clamem a mim em tempos de aflição; eu os livrarei, e vocês me darão glória" (Sl 50.15).

Como o rouxinol, podemos cantar durante a noite, e dizer com John Newton:

> Pois tudo com que me deparo opera para o meu bem,
> O amargo é doce, e o remédio, pão que sustém;
> Conquanto hoje exista dor, em breve ela cessará
> Então, ó que gozo!, o cântico dos vitoriosos soará.

Dentre todos os apóstolos, nenhum sofreu tanto quanto Paulo, e não vemos nenhum outro dando graças tão frequentemente quanto ele. Tome sua carta aos Filipenses. Lembre-se do que ele sofreu em Filipos, de como o açoitaram e o lançaram na prisão. Todavia, todo capítulo dessa epístola fala de regozijo e agradecimento. Há a conhecida passagem: "Não vivam preocupados com coisa alguma; em vez disso, orem a Deus pedindo aquilo de que precisam e agradecendo-lhe por tudo que ele já fez" (Fp 4.6). Como alguém já disse, há, aqui, três noções preciosas: "Não se preocupar com nada; orar por tudo; agradecer por qualquer coisa". Saímos em vantagem toda vez que somos gratos pelo que Deus fez por nós. Na carta aos Colossenses, Paulo repete: "Sempre oramos por vocês e damos graças a Deus, o Pai de nosso Senhor Jesus Cristo" (Cl 1.3). Ele agradecia constantemente. Consulte suas epístolas e descobrirá que elas são repletas de louvor a Deus.

Ainda que nada mais demandasse gratidão, o fato de Jesus Cristo nos ter amado e dado a vida por nós seria motivo suficiente para agradecer. Em certa ocasião, um camponês foi visto de joelhos diante do túmulo de um soldado nas imediações de Nashville. Alguém foi até esse camponês e lhe disse:

— Por que você dá tanta atenção a esse túmulo? Seu filho é que foi enterrado aí?

— Não — o camponês respondeu. — Durante a guerra, toda a minha família estava adoentada, e eu não tinha como deixá-la. Quando fui convocado, um de meus vizinhos veio até mim e falou: "Eu vou em seu lugar; não tenho família". E assim ele partiu. Mais tarde, em Chickamauga, foi ferido e levado ao hospital, onde morreu. Sabe, cruzei muitas milhas até aqui para escrever sobre esta lápide as palavras "Ele morreu por mim".

Isso é o que o crente pode sempre afirmar — e, de fato, celebrar — acerca de seu Salvador santo. "Assim, por meio de Jesus, ofereçamos um sacrifício constante de louvor a Deus, o fruto dos lábios que proclamam seu nome" (Hb 13.15).

O louvor a Deus

Falem, lábios meus!
    E contem ao mundo
    Os louvores de meu Deus.
Fale, língua vacilante!
    Proclame ao Senhor
    No tom mais vibrante.

Falem, terra e mar!
    Dele, estrela resplendente,
    Deixe todas as dimensões a par.
Comente os frutos de sua ação
    E torne-os conhecidos
    Até os confins da Criação.

Fale, céu mais elevado!
    Onde nosso Deus
    Para sempre tem habitado.
Falem, anjos, falem!
    Seu eterno nome
    Proclamem ali e além!

Fale, filho do pó!
    Sua carne ele tomou
    Para não mais o deixar só.

Fale, filho da morte!
    Em seu lugar ele morreu;
    Eis, agora, tua bendita sorte!

DR. BONAR

6
Perdão

O próximo elemento é, talvez, aquele com que temos maior dificuldade de lidar: o PERDÃO. Creio que é isto, mais que qualquer outra coisa, que vem impedindo muitas pessoas de ter poder em Deus: elas não desejam cultivar um espírito de perdão. Se deixarmos que a raiz de amargura contra alguém floresça em nosso coração, nossa oração não será respondida. Pode não ser nada fácil viver em doce harmonia com todos aqueles com quem nos relacionamos, mas é por essa razão que a graça de Deus nos foi concedida.

A oração ensinada aos discípulos é um teste de filiação: se somos capazes de fazê-la de coração, temos boas razões para acreditar que somos nascidos de Deus. Ninguém pode chamar a Deus de Pai senão pelo Espírito. Embora essa oração tenha resultado em muitas bênçãos para o mundo, creio que também tenha sido uma armadilha pela qual muitos caíram em perdição. As pessoas não refletem sobre o que ela significa, nem levam ao coração os fatos nela contidos. Não simpatizo nem um pouco com a ideia de filiação universal, isto é, de que todos são filhos de Deus. A Bíblia ensina com muita clareza que somos adotados na família divina. Se todos fossem seus filhos, Deus não precisaria adotar ninguém. Todos pertencemos a Deus à luz da criação, mas, quando se afirma que qualquer pessoa que diga "Pai nosso que estás no céu" seja nascido de Deus ou não, penso que isso contraria as Escrituras. "Porque todos que são guiados pelo Espírito de Deus são filhos de Deus" (Rm 8.14).

A participação na família, na condição de filho, é privilégio do crente. "Assim, podemos identificar quem é filho de Deus e quem é filho do diabo", diz o apóstolo (1Jo 3.10). Se cumprimos a vontade divina, esse é um bom indício de que somos nascidos de Deus. Se não temos nenhum desejo de cumpri-la, como podemos chamar Deus de "Pai nosso"?

Outra coisa: não podemos de fato orar para que venha o reino de Deus antes de sermos parte dele. Se orarmos pela vinda desse reino enquanto ainda nos rebelamos contra Deus, estaremos apenas buscando nossa própria condenação. Ninguém que não tenha sido renovado deseja verdadeiramente que a vontade de Deus se cumpra sobre a terra. Sobre a porta da casa de todo ímpio, e também sobre a porta de seu local de trabalho, pode haver a seguinte inscrição: "A vontade de Deus não se cumpre aqui".

Se as nações realmente erguessem a voz nessa oração, todos os integrantes de seus exércitos poderiam ser dispensados. Afirma-se que em nossa época há cerca de doze milhões de homens nos exércitos europeus. Contudo, as pessoas não querem que a vontade de Deus se cumpra na terra como no céu; aí está o problema.

Assim sendo, sigamos para o trecho em que quero me deter: "perdoa nossas dívidas, assim como perdoamos os nossos devedores" (Mt 6.12). De toda a oração, essa é a única parte explicada por Cristo: "Seu Pai celestial os perdoará se perdoarem aqueles que pecam contra vocês. Mas, se vocês se recusarem a perdoar os outros, seu Pai não perdoará seus pecados" (Mt 6.14-15).

Perceba que, quando adentra a porta do reino de Deus, você atravessa a porta do perdão. Nunca conheci ninguém cuja alma tenha sido abençoada sem que, antes, houvesse o desejo de perdoar os outros. Se não estivermos dispostos a perdoar as pessoas, Deus não pode nos oferecer perdão. Desconheço linguagem mais objetiva do que essa usada nas palavras de nosso Senhor. Acredito fortemente que muitas orações não têm resposta porque não queremos perdoar. Deixe que sua mente volte ao passado e atravesse seus relacionamentos; há alguém por quem você nutra sentimentos severos? Há alguma raiz de amargura florescendo contra alguém que talvez o tenha prejudicado? É possível que, durante meses ou anos, você venha acalentando esse espírito inclemente; então, como pode pedir que Deus ofereça perdão a *você*? Se não estou disposto a perdoar quem possivelmente cometeu alguma ofensa contra mim, que coisa mesquinha e desprezível eu faria se pedisse a Deus que perdoasse os dez mil pecados de que sou culpado!

Mas Cristo vai ainda além. Ele diz: "Portanto, se você estiver apresentando uma oferta no altar do templo e se lembrar de que alguém tem algo contra você, deixe sua oferta ali no altar. Vá, reconcilie-se com a pessoa e então volte e apresente sua oferta" (Mt 5.23-24). Pode ser que você esteja comentando: "Não sei se tenho algo contra alguém". Acaso alguém tem algo contra você? Há alguma pessoa que acredita que você errou com ela? Talvez você não tenha feito nada, mas ela pode achar que sim. Vou lhe contar o que eu faria antes da próxima noite de sono: iria até ela e resolveria o assunto. Você se perceberá grandemente abençoado ao fazer isso.

Suponha que você esteja certo e essa pessoa esteja errada; você pode ganhar seu irmão ou sua irmã. Que Deus extirpe de nosso coração esse espírito inclemente!

Um senhor veio a mim um tempo atrás querendo que eu conversasse com sua esposa sobre a alma dela. Aquela mulher não me pareceu mais ansiosa do que outras que eu encontrara anteriormente, e pensei que não levaria muito tempo para conduzi-la à luz; mas a impressão que tive depois foi que, quanto mais eu falava com ela, mais a escuridão crescia em seu íntimo. Ao visitá-la novamente no dia seguinte, encontrei-a em trevas ainda maiores. Pensei haver ali algo encoberto e pedi que ela repetisse comigo a oração ensinada aos discípulos. Achei que, se ela conseguisse fazer essa prece de todo o coração, o Senhor a visitaria com paz. Comecei a reproduzir a oração frase após frase, e ela as repetiu comigo até que cheguei a este apelo: "perdoa nossas dívidas, assim como perdoamos os nossos devedores". Nesse ponto, ela parou. Reproduzi o trecho pela segunda vez e esperei que a mulher o pronunciasse depois de mim, ao que ela comentou que não podia fazê-lo.

— Qual é o problema?

Ela respondeu:

— Há uma mulher a quem nunca perdoarei.

— Ah, então tenho a mesma dificuldade que você. Não faz sentido eu continuar orando, pois suas orações não passarão da altura da minha cabeça. Deus diz que não a perdoará a menos que você perdoe os outros. Se você não perdoar essa mulher, nunca receberá o perdão divino. Esse é o decreto do céu.

Ela falou:

— Quer dizer que eu não posso ser perdoada antes que a perdoe?

— Não, eu não estou dizendo isso. O Senhor é quem o diz, o que é bem mais grave.

— Então nunca serei perdoada.

Deixei a casa sem ter exercido nenhuma influência sobre aquela mulher. Poucos anos depois, ouvi dizer que ela estava em um hospício. Acredito que o espírito de inclemência a tenha feito enlouquecer.

Se há alguém que tenha queixa contra você, vá até ele de uma vez e reconcilie-se. Se você tem queixa contra alguém, escreva uma carta a essa pessoa dizendo que a perdoa; então, elimine isso de sua consciência. Recordo-me de ter estado em uma sala de inquirição certa vez; eu ocupava um dos cantos da sala e falava a uma moça. Parecia haver algo ali, mas não consegui descobrir o que era. Finalmente, eu disse:

— Não há ninguém a quem você deva perdoar?

Ela me olhou e falou:

— O que o levou a perguntar isso? Alguém lhe contou sobre mim?

— Não — respondi —, mas pensei que talvez fosse esse o caso, pois você mesma não recebeu perdão.

— Bem — disse ela apontando para outro canto da sala, onde havia uma jovem sentada —, tive problemas com aquela moça; não nos falamos há muito tempo.

— Ah, está tudo esclarecido agora; você não pode ser perdoada antes de se dispor a perdoá-la — eu falei.

A batalha foi grande. Mas, você sabe: quanto maior a cruz, maior a bênção. Do homem vem o errar, mas de Cristo vem o perdoar e o ser perdoado. Por fim, a moça com quem eu falava comentou:

— Vou até lá oferecer perdão a ela.

O curioso é que o mesmo conflito ocorria na mente da jovem que ocupava o outro canto da sala. Ambas caíram em si ao mesmo tempo, e elas se encontraram bem no meio daquele recinto. Uma tentou dizer à outra que a perdoava, mas nenhuma delas conseguiu concluir; então, lançaram-se num abraço. Depois disso, nós quatro, duas requerentes e dois obreiros, caímos de joelhos e tivemos um tempo maravilhoso juntos. Ambas saíram dali exultantes.

Caro amigo, será essa a razão de suas orações não serem respondidas? Há algum colega, algum familiar, alguém da igreja a quem você não perdoou? Às vezes, somos informados que membros de uma mesma igreja não falam uns com os outros há anos. Como esperar que Deus perdoe diante de uma situação dessas?

Lembro-me de uma cidade que visitei com o sr. Sankey. Por uma semana, pareceu que estávamos golpeando o ar; não havia poder durante as reuniões. Enfim, um dia concluí que talvez alguém ali estivesse cultivando esse espírito inclemente. O líder do conselho, que estava sentado próximo a mim, levantou-se e, diante de todos, deixou a reunião. A flecha havia acertado o alvo, atingindo em cheio o coração daquele líder. Ele tivera problemas com um homem por cerca de seis meses. Então, saiu em busca desse homem e lhe pediu que o perdoasse. Depois, veio a mim com lágrimas nos olhos e falou: "Agradeço a Deus que você veio". Naquela noite, a sala de inquirição ficou lotada. O líder do conselho tornou-se um dos obreiros mais capazes que já conheci e, desde então, tem atuado na obra de Cristo.

Há muitos anos, a Igreja da Inglaterra enviou à Nova Zelândia um devoto missionário. Em um sábado, depois de alguns anos de labor e sucesso, ele dirigiu um culto de comunhão em um bairro onde os agora convertidos costumavam ser, não muito tempo antes, bastante violentos. Enquanto conduzia o culto, o missionário notou que um dos homens ali, estando prestes a ajoelhar-se diante da balaustrada, de repente levantou-se num impulso e correu até o outro lado da igreja. Depois de um tempo, o homem retornou e tomou seu lugar tranquilamente. Após o culto, o clérigo o chamou de lado e perguntou o motivo daquele estranho comportamento. A resposta foi: "Quando eu ia ajoelhar, dei-me conta de que o homem que estava próximo de mim era o chefe de uma gangue da vizinhança, o qual havia assassinado meu pai e bebido seu sangue; eu tinha jurado por todos os deuses que mataria aquele homem na primeira oportunidade. O ímpeto de me vingar quase me dominou de início, então corri dali, como o senhor viu, para escapar do poder desse impulso. Quando parei do outro lado do templo e refleti sobre o propósito de nossa reunião, pensei naquele que orou por seus assassinos: 'Pai, perdoa-lhes, pois não sabem o que fazem'. E senti que podia perdoar o assassino de meu pai, então voltei e me ajoelhei ao lado dele".

Como alguém já disse: "Há um tipo feio de perdão no mundo, um tipo de perdão-ouriço, lançado como espinhos. A pessoa vai até aquele que a ofendeu e o humilha sob o fole da indignação, trata-o com desprezo e o faz arder diante do próprio erro; então, quando acha que o esmagou o suficiente, ela o perdoa".

Em seu leito de morte, o pai de Frederico, o Grande, foi advertido por M. Roloff, seu conselheiro espiritual, que deveria perdoar seus inimigos. O moribundo ficou bem inquieto e, depois de algum tempo, disse à rainha: "Tu, predestinada, podes escrever a teu irmão (o rei da Inglaterra), *após minha morte*, dizendo que eu o perdoei e morri em paz com ele". M. Roloff gentilmente sugeriu que a rainha o fizesse de imediato. "Não", foi o comentário sisudo do monarca. "Escreva-a depois que eu morrer. Será mais prudente fazer assim."

Outra história fala de um homem que, supondo estar prestes a morrer, manifestou seu perdão a alguém que o havia prejudicado, mas completou: "Agora, veja bem, se eu me recuperar, o ressentimento continua o mesmo".

Como diz Matthew Henry:

Não perdoamos correta e legitimamente o irmão que nos ofendeu se não o fazemos de coração, pois é isso o que Deus observa. Esse ato não deve abrigar nenhuma malícia ou animosidade para com ninguém nem incubar plano de vingança ou desejo de que ela aconteça, ao contrário do que ocorre com muitas pessoas que externamente parecem serenas e reconciliadas. Devemos desejar e buscar, de coração, o bem daqueles que nos ofenderam.

Se o perdão divino fosse como esse que tão frequentemente expressamos, não teria muito valor. Supondo que Deus dissesse: "Vou perdoá-lo, mas jamais esquecerei o que me fez; por toda a eternidade vou lembrá-lo de seus atos", nós não nos sentiríamos perdoados de fato. Observe o que Deus diz: "Nunca mais me lembrarei de seus pecados" (Jr 31.34). Um trecho de Ezequiel afirma que nenhum de nossos pecados será mencionado; isso não remete a Deus? Gosto de pregar esse tipo de perdão, a doce verdade de que o pecado foi apagado para todo o sempre e nunca mais será usado como argumento contra nós. Em outra porção das Escrituras, lemos: "Nunca mais me lembrarei de seus pecados e seus atos de desobediência" (Hb 10.17). Então, quando vamos para o capítulo 11 de Hebreus e lemos sobre a galeria de honra de Deus, percebemos que nenhum pecado daqueles homens e mulheres de fé é citado. Abraão é referido como homem de fé, mas não se diz que ele negou a esposa no Egito; tudo lhe foi perdoado. Moisés não pôde entrar na terra prometida por ter perdido a paciência, mas isso não é mencionado no Novo Testamento, e seu nome aparece na galeria de honra apresentada pelo apóstolo. Sansão também é citado, mas seus pecados não são trazidos à tona. Por que se diz até mesmo que "Ló era um homem justo" (2Pe 2.7)? No relato do Antigo Testamento, ele não se parecia muito com uma pessoa íntegra, mas foi perdoado, e Deus o fez "justo". Uma vez que fomos perdoados por Deus, nossos pecados nunca mais serão lembrados para fins de acusação contra nós. Esse é um decreto eterno de Deus.

Brooks afirma isto acerca do perdão que Deus concedeu a seu povo:

Quando Deus perdoa o pecado, ele remove suas evidências também, de modo que, se o procurarem, não será descoberto; como diz o profeta Jeremias: "'Naqueles dias', diz o Senhor, 'não se encontrará pecado algum em Israel nem em Judá, pois perdoarei o remanescente que eu preservar" (Jr 50.20). Tal qual Davi, que percebeu em Mefibosete características de seu amigo Jônatas e não fez conta de que fosse manco ou tivesse qualquer outra deficiência ou deformidade, também Deus viu em seu povo a gloriosa imagem de seu Filho e fechou os olhos para todas as faltas e deformidades que eles haviam cometido, o que levou Lutero a dizer: "Faze comigo o que deves fazer, pois perdoaste meu pecado". E o que é perdoar o pecado senão deixar de referir-se a ele?

No Evangelho de Mateus, lemos: "Se um irmão pecar contra você, fale com ele em particular e chame-lhe a atenção para o erro. Se ele o ouvir, você terá recuperado seu irmão" (Mt 18.15). Então, pouco depois, lemos que Pedro vem a Cristo e diz: "Senhor, quantas vezes devo perdoar alguém que peca contra mim? Sete vezes?". Jesus responde: "Não sete vezes, mas setenta vezes sete" (Mt 18.21-22). Pedro não parecia achar que ele próprio corria perigo de cair em pecado; a pergunta que fez foi: "Com que frequência devo perdoar meu irmão?". Mas logo depois sabemos que Pedro caiu. Posso imaginar que, quando isso aconteceu, veio-lhe um agradável pensamento sobre o que o Mestre tinha dito sobre perdoar setenta vezes sete. A voz do pecado pode soar alto, mas a voz do perdão a supera.

Entremos na experiência de Davi, quando falou:

Como é feliz aquele
   cuja desobediência é perdoada,

cujo pecado é coberto!
Sim, como é feliz aquele
cuja culpa o SENHOR não leva em conta,
cuja consciência é sempre sincera!
Enquanto me recusei a confessar meu pecado,
meu corpo definhou,
e eu gemia o dia inteiro.
Dia e noite, tua mão pesava sobre mim;
minha força evaporou como água no calor do verão.

Finalmente, confessei a ti todos os meus pecados
e não escondi mais a minha culpa.
Disse comigo: "Confessarei ao SENHOR a minha rebeldia",
e tu perdoaste toda a minha culpa.

Salmos 32.1-5

Davi podia olhar para baixo, para cima, para trás e para a frente, para o passado, o presente e o futuro, e saber que tudo ia bem. Que assumamos o compromisso de não descansar até que a questão do pecado esteja resolvida para sempre, a fim de que possamos olhar para o alto e clamar a Deus como nosso Pai perdoador. Estejamos dispostos a perdoar os outros; assim, poderemos suplicar o perdão de Deus, lembrando-nos das palavras do Senhor Jesus, que afirmou: "Seu Pai celestial os perdoará se perdoarem aqueles que pecam contra vocês. Mas, se vocês se recusarem a perdoar os outros, seu Pai não perdoará seus pecados" (Mt 6.14-15).

Perdão

Que alegria! Meus pecados perdoados!
Agora posso crer de coração!

Tudo o que tenho, sou e virei a ser
   Entrego a meu Senhor com gratidão.
Ele desfez as trevas de minha'alma,
   Despertou-me do sono mortal,
Sussurrou-me paz e levou-me para si,
   Tornou-se meu deleite final.

Que o bebê se esqueça da mãe,
   Que o noivo deixe a noiva de lado;
Fiel a Deus, abrirei caminho até ele,
   Nenhum outro será meu amado.
Jesus, ouve a confissão de minha'alma:
   Fraco sou, mas a força está em ti;
Em teus braços, busco vigor e socorro,
   Minh'alma pode descansar enfim.

ALBERT MIDLANE

7
Unidade

A próxima coisa que devemos ter caso queiramos que nossas orações sejam atendidas é UNIDADE. Se não amarmos uns aos outros, certamente não alcançaremos poder em Deus mediante a oração. Uma das situações mais lamentáveis nos dias atuais é a divisão da igreja de Deus. Note que, quando o poder do Senhor veio sobre a igreja primitiva, isso aconteceu enquanto ela vivia em harmonia. Acredito que a bênção do Pentecostes jamais teria sido concedida se não fosse por aquele espírito de união. Se eles estivessem divididos, brigando entre si, você acha que o Espírito Santo teria descido e aqueles milhares de pessoas teriam vindo à conversão? Percebo que, em nosso ministério, se fôssemos a uma cidade onde houvesse três congregações vivendo em concordância, alcançaríamos bênçãos maiores do que se apenas uma igreja demonstrasse viver em harmonia. E, se houvesse doze igrejas unidas, as bênçãos se multiplicariam por quatro, pois estas sempre se manifestam na proporção do espírito de unidade. Onde há querelas e divisões e onde falta o espírito de unidade, há pouca bênção e pouco louvor.

O dr. Guthrie ilustra isso da seguinte maneira:

> Separe os átomos que compõem o martelo e cada um deles cairá sobre a pedra como um floco de neve; mas solde-os em um só bloco e este, empunhado pelo braço firme do mineiro, partirá em miúdos rochas monumentais. Divida as águas do Niágara em gotas distintas, avulsas, e elas não passarão de mera chuva, mas, unificadas em um todo, elas extinguiriam

o fogo do Vesúvio e ainda sobraria um pouco para os outros vulcões.

A história nos diz que foi acordado entre os exércitos romano e albano que toda a disputa seria resolvida em uma batalha entre seis irmãos: três de um lado, os filhos de Curiácio, e três do outro, os filhos de Horácio. Enquanto se mantiveram unidos, aqueles, mesmo feridos gravemente, mataram dois destes. O terceiro, ileso, começou a fugir; então, quando viu que os filhos de Curiácio o seguiam vagarosamente, um atrás do outro, por causa dos ferimentos e do peso da armadura, caiu sobre eles e os matou de uma só vez. Esse é um truque sagaz do diabo para nos dividir e, então, acabar conosco.

Devemos ser tolerantes e abnegados em vez de permitir que a discórdia e a separação prevaleçam em nosso coração. Martinho Lutero diz:

Quando dois bodes se encontram em uma ponte estreita sobre águas profundas, o que eles fazem? Nenhum dos dois pode retornar nem passar pelo outro, pois a ponte é estreita demais para isso; se eles se empurrarem, ambos podem cair e se afogar. A natureza, porém, os ensinou que, se um se deitar e permitir que outro lhe passe por cima, os dois são poupados. De igual modo, as pessoas deveriam suportar ser pisadas em vez de caírem em discussões e desavenças.

Daniel Cawdray alega: "Na música, se os tons não harmonizam completamente, eles soam agressivos ao ouvido refinado; da mesma forma, se cristãos discordam entre si, eles são inaceitáveis para Deus".

Há diversidade de dons — isso é claramente ensinado —, mas há um só Espírito. Se todos fomos redimidos pelo mesmo sangue, devemos concordar quanto às coisas espirituais. Paulo escreve: "Existem tipos diferentes de dons espirituais, mas o mesmo Espírito é a fonte de todos eles. Existem tipos diferentes de serviço, mas o Senhor a quem servimos é o mesmo" (1Co 12.4-5).

Creio que nenhum poder, terreno ou infernal, é capaz de estorvar a obra quando há unidade. Quando a igreja, o púlpito e o banco se unem e o povo de Deus tem uma só mente, o cristianismo é como uma bola vermelha e quente que percorre a terra, e nenhuma hoste da morte ou do inferno pode impedi-la. Acredito que, assim, centenas, milhares de pessoas se achegarão ao reino. Jesus diz: "Seu amor uns pelos outros provará ao mundo que são meus discípulos" (Jo 13.35). Se tão somente nos amarmos e orarmos uns pelos outros, haverá êxito. Deus não nos desapontará.

Não é possível haver nenhuma separação ou divisão na verdadeira igreja de Cristo; ela foi redimida por um único preço e é habitada por um único Espírito. Se pertenço à família de Deus, fui comprado pelo mesmo sangue, embora possa não integrar o mesmo grupo ou partido de um irmão. O que precisamos fazer é eliminar esses desprezíveis muros de separação. Nossa fraqueza está em nossa divisão, e o que precisamos é que não haja nenhum cisma ou separação entre os que amam o Senhor Jesus Cristo. Na primeira epístola aos Coríntios, lemos acerca dos primeiros sintomas de sectarismo invadindo a igreja primitiva:

> Irmãos, suplico-lhes em nome de nosso Senhor Jesus Cristo que vivam em harmonia uns com os outros e ponham fim às divisões entre vocês. Antes, tenham o mesmo parecer, unidos em pensamento e propósito. Pois alguns membros da família de Cloe me informaram dos desentendimentos entre vocês, meus irmãos. Refiro-me ao fato de alguns dizerem:

"Eu sigo Paulo", enquanto outros afirmam: "Eu sigo Apolo", ou "Eu sigo Pedro", ou ainda, "Eu sigo Cristo". Acaso Cristo foi dividido? Será que eu, Paulo, fui crucificado em favor de vocês? Alguém foi batizado em nome de Paulo?

1Coríntios 1.10-13

Perceba que um disse: "Eu sigo Paulo", outro: "Eu sigo Apolo", e outro: "Eu sigo Pedro". Apolo era um jovem orador, e as pessoas eram atraídas por sua eloquência. Alguns diziam que Pedro (ou Cefas) era da linhagem apostólica convencional, pois estivera com o Senhor, e Paulo não. Por isso, havia divisão. Paulo escreveu essa carta a fim de resolver o assunto.

William Jenkyn, em seu comentário sobre a epístola de Judas, diz:

> Os participantes da "salvação comum", que aqui concordam em um único caminho para o céu e esperam estar, no porvir, em um mesmo céu, devem ter um só coração. Essa é a inferência do apóstolo em Efésios. Quão impressionantemente miserável é o fato de aqueles que concordam com a fé comum discordarem como adversários comuns! O fato de cristãos viverem como se a fé tivesse banido o amor! A fé comum deve apaziguar e temperar nosso espírito quanto às nossas diferenças. Ela deve moderar nosso pensamento, posto que há desigualdade nas relações terrenas. Que convincente motivo tinham os irmãos de José para que ele lhes perdoasse os pecados, visto que eram seus irmãos e servos do Deus de seus pais! Sabendo que não podemos extinguir a chama do círio da contenda com nosso próprio fôlego, deixemos que o sangue de Cristo a apague!

Que situação insólita Paulo, Pedro e Apolo encontrariam se viessem ao mundo hoje! A pequena árvore que brotou em Corinto tornou-se como aquela de Nabucodonosor, na qual se reuniam muitas aves dos céus. Supondo que Paulo e Pedro viessem a nós hoje, eles logo ouviriam falar sobre membros de igreja e dissidentes.

— Dissidente! O que é isso? — diria Paulo.

— Temos a Igreja da Inglaterra, e há aqueles que dela divergem.

— Ah, claro! Aqui existem duas categorias de cristãos, então?

— Lamento dizer que há muitas outras divisões. Os próprios dissidentes se dividem. Há os wesleyanos, os batistas, os presbiterianos, os independentes, entre outros; e até mesmo estes se subdividem.

— Será possível haver tantas divisões? — Paulo questionaria.

— Sim. A Igreja da Inglaterra está bastante dividida também. Há a Igreja Ampla, a Alta Igreja, a Baixa Igreja e os Alto-Baixos. Então, vem a Igreja Luterana; na Rússia, eles têm a Igreja Grega, e assim por diante.

Confesso que não sei o que Paulo e Pedro pensariam se voltassem ao mundo; eles encontrariam um cenário bem estranho. Uma das coisas mais humilhantes atualmente é ver como a família de Deus está dividida. Se amamos o Senhor Jesus Cristo, nosso coração se sentirá incomodado até que Deus nos aproxime a fim de que amemos uns aos outros e estejamos acima de qualquer sentimento sectário.

Na reforma de uma igreja em um distrito de Boston, a inscrição registrada na parede que ficava atrás do púlpito foi encoberta. No primeiro sábado após os reparos, uma criancinha de cinco anos sussurrou para a mãe: "Eu sei por que Deus mandou o pintor cobrir aqueles versos bonitos: porque as pessoas não amavam umas às outras". A inscrição era esta: "Agora eu lhes dou um novo mandamento: Amem uns aos outros" (Jo 13.34).

Um ministro de Boston disse que, certa vez, pregara sobre o reconhecimento de amigos no futuro e, após o culto, um ouvinte lhe falou que seria mais certeiro pregar sobre o reconhecimento de amigos agora mesmo, pois ele havia frequentado a igreja durante vinte anos e não conhecia nenhum de seus membros.

Eu estava em um vilarejo um tempo atrás e, certa noite, quando deixei a reunião, vi outro edifício de onde saiam pessoas. Indaguei a um amigo:

— Vocês têm duas igrejas aqui?

— Ah, sim.

— Como é a relação de vocês?

— Nós nos damos muito bem.

— Fico satisfeito em saber disso. O irmão que ministra ali já veio a esta reunião?

— Não. Nós não temos nada a ver um com o outro. Entendemos que é melhor que seja assim.

E eles diziam se dar muito bem! Ah, que Deus nos torne um povo de um só coração e uma só mente! Que nosso coração seja como gotas d'água que fluem juntas. A unidade do povo de Deus é como uma amostra grátis do céu. Ali não encontraremos nenhum batista, nem metodista, nem congregacionalista, nem episcopal; seremos um em Cristo. Quando deixarmos esta terra, deixaremos para trás nossas denominações. Ah, que o Espírito de Deus se apresse em eliminar todas os terríveis muros que construímos!

Você já notou que a última oração que Jesus Cristo fez na terra, antes de o levarem ao Calvário, foi para que seus discípulos fossem um? Ele podia vislumbrar o tempo que estava por vir e perceber que haveria divisões: Satanás tentaria dividir o rebanho de Deus. Nada calará os infiéis tão rapidamente quanto cristãos unidos em todo e qualquer lugar; nessa ocasião, nosso testemunho influenciará ímpios e incautos. Porém, quando virem que os cristãos estão divididos, eles não crerão em seu testemunho. O Espírito Santo está entristecido; e há pouco poder onde não há união.

Se suspeitasse existir uma gota de sangue sectário em minhas veias, eu a faria sair antes de me deitar à noite; se tivesse, no cabelo, um fio sectário, eu o arrancaria. Devemos nos dirigir diretamente ao coração de Jesus Cristo; assim, nossas orações serão aceitáveis a Deus, e chuvas de bênçãos descerão sobre nós.

Unidade

Desconheçam-se denominações
    Entre a turba resgatada;
Jesus as chama para si,
    Pois para ele toda gente é amada.

No Cabeça e Rei da aliança,
    Sejam um só coração;
Cada qual assuma seu papel
    E cante de uma só salvação.

Um pão, uma família, uma rocha,
    Um edifício formado pelo amor;
Um redil, sim, um só rebanho;
    Unido sob o mesmo Pastor.

JOSEPH IRONS

8
Fé

Outro elemento é a FÉ. Para nós, é tão importante saber como orar quanto saber como agir. Não ouvimos dizer que Jesus alguma vez tenha ensinado seus discípulos a pregar, mas ele os ensinou a orar. Ele queria que tivessem poder em Deus, pois sabia que, assim, teriam poder entre as pessoas. Em Tiago, lemos: "Se algum de vocês precisar de sabedoria, peça a nosso Deus generoso, e receberá. Ele não os repreenderá por pedirem. Mas, quando pedirem, façam-no com fé, sem vacilar" (Tg 1.5-6). Portanto, a fé é a chave dourada que abre os tesouros do céu. Ela foi o escudo usado por Davi ao encontrar Golias no campo; Davi acreditava que Deus entregaria o filisteu em suas mãos. Alguém comentou que a fé poderia levar Cristo a qualquer lugar; onde quer que a encontrasse, ele a honraria. A falta de fé vê algo na mão de Deus e diz: "Não consigo alcançar isso". A fé vê a mesma coisa e diz: "Terei isso".

A nova vida começa com a fé; a partir daí, devemos tão somente prosseguir construindo sobre esse fundamento. "Digo-lhes que, se crerem que já receberam, qualquer coisa que pedirem em oração lhes será concedido" (Mc 11.24). Mas tenha em mente que devemos ser sinceros ao nos dirigirmos a Deus.

Desconheço ilustração mais vívida do clamor desesperado por auxílio chegando até Deus — com toda a sinceridade quanto à demanda intimamente percebida — que a apresentada na história a seguir.

Carl Steinman, que visitou o monte Hecla, na Islândia, em 1845, pouco antes da grande erupção ocorrida depois de o vulcão ter passado oitenta anos inativo, escapou da morte por um triz após arriscar-se a entrar na cratera fumegante, contrariando o grave apelo de seu guia. À beira do profundo fosso, Carl foi derrubado por um tremor no topo do monte e ficou preso ali por blocos de lava que cobriram seus pés. Ele expõe em detalhes:

Ah, os horrores daquele terrível acontecimento! Ali, sobre a boca de um abismo negro e quente, eu, um prisioneiro indefeso e cônscio, fiquei suspenso, pronto para ser lançado abaixo pelo próximo espasmo da natureza convulsionante!

— Socorro! Socorro! Socorro! Pelo amor de Deus, socorro! — gritei em meio à agonia do desespero.

Eu não tinha nada em que me apoiar a não ser a misericórdia celeste; orei a Deus como nunca havia orado, pelo perdão de meus pecados, a fim de que eles não me acompanhassem em meu julgamento.

De repente, ouvi um grito e, ao olhar ao redor, vi, com sentimentos indescritíveis, meu fiel guia descendo a lateral da cratera para me socorrer.

— Eu avisei! — disse ele.

— Sim, avisou! — bradei. — Mas me perdoe e me salve, pois estou perecendo!

— Ou eu o salvo, ou pereço com você!

A terra tremeu e as rochas se partiram, uma delas rolando para o abismo sob um som pesado, estrondoso. Lancei-me para a frente e alcancei a mão do guia. No instante seguinte, ambos estávamos caídos, presos um ao outro, sobre o chão firme da parte alta. Eu estava a salvo, mas ainda à beira do fosso.

O bispo Hall, em uma passagem bem conhecida, assim trata a questão da sinceridade em relação à oração de fé:

Uma flecha, quando pouco puxada pelo arco, não vai longe; mas, quando puxada até o limite, voa rapidamente e penetra fundo. Assim é a oração: quando murmurada por lábios descuidados, cai sobre nossos pés. É a força e o desejo intenso com que é derramada que a enviam ao céu e a fazem ultrapassar as nuvens. Não é a aritmética de nossas preces (quantas são), nem a retórica que nelas usamos (quão eloquentes elas se mostram), nem sua geometria (quão longas são), nem sua melodia (quão doce é nossa voz), nem sua lógica (quais argumentos as sustentam), nem seu método (quão organizadas são), nem mesmo sua inspiração divina (quão correta é a doutrina referida) o que importa a Deus. Ele não procura joelhos calejados como, segundo dizem, os de Tiago, resultantes da assiduidade de suas orações. Podemos ser como Bartolomeu, o qual alegam ter feito cem orações a cada manhã, outras cem a cada noite, e nenhuma delas ter valia alguma. O que mais vale é o fervor do espírito.

O arcebispo Leighton diz:

Não é o papel de borda dourada nem a boa caligrafia de uma petição que persuade um rei, mas o motivo que dá sentido a essa petição. E, para o Rei que discerne o coração, o sentido de tudo está naquilo que move o coração; essa é a única coisa que ele considera. Ele ouve para compreender o que estamos dizendo, e tudo o mais é nada, como se silêncio fosse. A excelência da oração não tem nada a ver com a forma como se apresenta ou o estilo que tem, mas com seu vigor.

Brooks comenta:

Assim como a chama pintada não é fogo e o homem morto não é um homem, a oração fria não é oração. A chama pintada não tem calor e o homem morto não tem vida; do mesmo modo, na oração fria não há onipotência nenhuma, devoção nenhuma, bênção nenhuma. Orações frias são como flechas sem ponta, espadas sem fio, pássaros sem asas; elas não penetram, não cortam, não voam até o céu. Orações frias sempre congelam antes de atingir o firmamento. Ah, que os cristãos admoestem uns aos outros a abandonarem suas orações frias e se voltarem a um espírito mais adequado e caloroso ao apresentar suas súplicas ao Senhor!

Considere o caso da mulher siro-fenícia. Quando ela chamou o Mestre, por algum tempo ele pareceu não ouvir seu pedido. Os discípulos quiseram mandá-la embora dali. Conquanto acompanhassem Cristo havia três anos, assentando-se a seus pés, eles ainda não sabiam quanta graça havia em seu coração. Imagine Cristo despedindo uma pobre pecadora que viera até ele em busca de misericórdia! Dá para conceber uma coisa dessas? Isso jamais aconteceu. Aquela pobre mulher se colocou no lugar da filha e clamou: "Senhor, ajude-me!" (Mt 15.25). Penso que, quando chegamos a um ponto tão extremo quanto esse — quando nos colocamos no lugar de nossos queridos — movidos pelo sincero desejo de ver a bênção sobre eles, Deus não tarda a ouvir nossa oração.

Recordo-me de, há alguns anos, em uma reunião, ter convidado todos os que desejassem receber oração a virem à frente e se ajoelharem ou tomarem os primeiros assentos. Havia uma mulher entre os que aceitaram o convite; por sua aparência, pensei tratar-se de uma cristã, mas ela se ajoelhou com os demais. Eu lhe perguntei:

— Você é cristã, não é?

Ela comentou que havia muitos anos que era cristã.

— Você entendeu meu convite? Eu chamei apenas os que desejam se tornar cristãos — completei.

Nunca vou me esquecer da expressão na face daquela mulher enquanto ela respondia:

— Tenho um filho que saiu de casa para bem longe. Achei que eu deveria vir no lugar dele hoje, para ver se Deus o abençoa.

Graças a Deus por uma mãe como aquela!

A mulher siro-fenícia fez a mesma coisa: "Senhor, ajude-me!". A oração era curta, mas foi direto para o coração do Filho de Deus. Contudo, ele provou a fé da mulher.

Jesus respondeu "Não é certo tirar comida das crianças e jogá-la aos cachorros".

"Senhor, é verdade", disse a mulher. "No entanto, até os cachorros, debaixo da mesa, comem as migalhas da mesa de seus donos."

"Mulher, sua fé é grande", disse-lhe Jesus.

Mateus 15.26-28

Que elogio! A história daquela mulher jamais será esquecida enquanto houver igreja na terra. Jesus honrou-lhe a fé e concedeu-lhe tudo o que ela havia pedido. Qualquer um pode dizer: "Senhor, ajude-me!". Todos precisamos de socorro. Como cristãos, precisamos de mais graça, mais amor, mais pureza, mais retidão? Então, façamos essa oração hoje mesmo. Desejo que Deus me ajude a pregar melhor e a viver melhor, a ser mais parecido com seu Filho. A corrente dourada da fé nos liga diretamente ao trono divino, e a graça celestial flui para dentro de nossa alma.

Aquela mulher era uma grande pecadora; ainda assim, o Senhor ouviu seu clamor. Talvez você tenha vivido no pecado até agora, mas, se clamar: "Senhor, ajuda-me!", ele responderá à sua oração, caso ela seja sincera. Muito frequentemente, quando clamamos a Deus, nossa súplica não faz sentido nenhum. Você que é mãe entende o que digo. As crianças têm duas vozes. Quando elas lhe pedem algo, você logo percebe se se trata de alguma invencionice ou não. Em caso afirmativo, você não dá importância; mas, caso seja um pedido real de ajuda, com que rapidez você o atende! O clamor angustiado sempre resulta em socorro. Seu filho está brincando por perto e diz: "Mamãe, quero pão", mas prossegue com a brincadeira. Você nota que ele não está muito faminto, então o deixa ali. Porém, depois de um tempo, a criança deixa os brinquedos e vem puxar seu vestido: "Mamãe, estou com fome!". Então, você sabe que aquele é um pedido real e logo vai até a despensa buscar um pouco de pão. Quando ansiamos sinceramente pelo pão do céu, nós o recebemos. A mulher siro-fenícia clamou com sinceridade, por isso sua petição foi atendida.

Lembro-me de ter ouvido sobre um garoto criado em um abrigo inglês. Ele nunca aprendeu a ler nem a escrever, apenas conseguia reconhecer as letras do alfabeto. Um dia, um homem de Deus foi até o abrigo e disse às crianças que, se elas orassem a Deus sobre seus problemas, o Senhor lhes enviaria auxílio. Depois de um tempo, esse garoto se tornou aprendiz de um fazendeiro. Certo dia, foi enviado ao campo para cuidar de algumas ovelhas. Ao enfrentar uma situação bastante difícil, lembrou-se do que o pregador dissera e decidiu orar ao Senhor sobre aquilo. Algumas pessoas que passavam perto do campo ouviram uma voz vinda de trás da cerca. Elas espiaram para descobrir de quem se tratava e viram o rapazinho ajoelhado dizendo: "A, B, C, D...", e assim por diante. O fazendeiro perguntou: "Meu garoto, o que você está fazendo?". O menino olhou para cima e respondeu que estava orando. "O quê? Isso não é orar; isso é só recitar o alfabeto". O rapaz falou que não sabia exatamente como orar, mas que, certa vez, um homem fora até o abrigo e dissera às crianças que, se elas clamassem a Deus, o Senhor as ajudaria. Assim, o jovem pensou que, se nomeasse letra por letra, Deus as reuniria formando uma oração e lhe daria o que ele desejava. Esse rapaz estava orando de fato. Às vezes, quando seu filho fala algo, seus amigos podem não entender o que ele diz; mas você que é a mãe o entende muito bem. Então, se nossa oração vem diretamente do coração, Deus entende a linguagem que usamos. É uma ilusão diabólica achar que não podemos orar; podemos, sim, se de fato queremos algo. Não é a linguagem mais bela ou mais eloquente que faz a resposta vir do alto, mas o clamor que sobe de um coração contrito. Quando aquela pobre gentia suplicou: "Senhor, ajude-me!", esse clamor percorreu as linhas de transmissão divinas, e a bênção veio. Portanto, você pode orar se quiser; é o desejo, a vontade do coração, que Deus gosta de ouvir e de atender.

Dessa forma, devemos *esperar* receber a bênção. Quando o centurião desejou que Cristo curasse seu servo, achou-se indigno de ir até o Senhor e pedir-lhe isso pessoalmente; então, enviou seus amigos para que apresentassem a petição. Ele mandou mensageiros ao encontro do Mestre, dizendo-lhe: "Senhor, não se incomode em vir à minha casa. Basta uma ordem sua, e meu servo será curado". Jesus disse aos judeus: "Jamais vi fé como esta em Israel" (Lc 7.6-9). Ele ficou maravilhado com a fé que o centurião demonstrou e se agradou dela; então, curou o servo naquele instante. A fé trouxe a resposta.

Em João, lemos acerca de um homem da nobreza cujo filho estava doente. O pai caiu de joelhos diante do Mestre e disse: "Senhor, por favor, venha antes que meu filho morra" (Jo 4.49). Aqui, temos ambas: sinceridade e fé; e o Senhor respondeu imediatamente à oração. O filho do nobre começou a melhorar na mesma hora. Cristo honrou a fé daquele homem. Nesse caso, o nobre não tinha nada em que se apoiar a não ser a simples palavra de Cristo, e ela bastava. É bom ter sempre em mente que o objeto da fé não é a criatura, mas o Criador; não o instrumento, mas a mão que o segura.

Richard Sibbes nos explica isso desta forma:

O objeto da fé é Deus, e Cristo como mediador. Devemos fundamentar nossa fé em ambos. Não podemos crer em Deus a menos que creiamos em Cristo. Pois Deus se satisfaz em Deus; e por ele, que é Deus, essa satisfação — o Espírito de Deus — deve ser solicitada mediante a fé que opera no coração, inclusive para que este seja erguido quando desanimar. Tudo na fé é sobrenatural. As coisas em que acreditamos ultrapassam o natural; as promessas ultrapassam o natural; o agente, o Espírito Santo, ultrapassa o natural; tudo na fé ultrapassa o natural. Há que existir um Deus em quem acreditar, um Deus por meio do qual possamos saber que Cristo é Deus, não apenas pelo que Cristo fez — seus milagres, os quais ninguém poderia realizar a não ser Deus —, mas também pelo que se faz a ele. E duas coisas lhe são oferecidas, as quais mostram que ele é Deus: fé e oração. Devemos crer somente em Deus e orar somente a ele; mas Cristo é o objeto dessas duas ações. Aqui, ele é definido como o objeto de fé e de oração, como na prece de Santo Estêvão: "Senhor Jesus, recebe o meu espírito" (At 7.59), pois era seu Deus, visto que a Cristo se faz o que somente a Deus é apropriado e típico fazer. Ah, que firme fundamento, que base e alicerce tem a nossa fé! Há um Deus Pai, Filho e Espírito Santo, e há Cristo, o Mediador. Para o sustento de nossa fé, cremos nele, que sustenta céu e terra.

Não há nada que possa servir de obstáculo ao cumprimento das promessas de Deus, quaisquer que sejam elas, pois são conquistáveis por meio da fé.

Como diz Samuel Rutherford ao comentar o episódio da mulher siro-fenícia:

Veja que doce uso da fé sob escura tentação; uma fé que negocia com Cristo e com o céu sombrio, amparada em singela confiança e reconhecimento, sem que veja nenhuma garantia de que haverá um amanhecer: "Felizes são aqueles que creem sem ver" (Jo 20.29). Isso porque a coragem espiritual é como tendões e ossos que sustentam a fé, de modo a manter a cidade fortificada contra o inferno e, sim, a aguentar o que parece impossível. Aqui está uma mulher frágil, não na condição de mulher, mas na de quem crê, insistindo com o "Deus Poderoso, Pai Eterno e Príncipe da Paz" (Is 9.6). Somente a fé insiste e supera a espada, o mundo e todas as aflições. Essa é a nossa vitória, na qual uma única pessoa pode vencer este grande e vasto mundo.

O bispo Ryle aponta a intercessão de Cristo como a razão e a certeza de nossa fé:

Um cheque sem assinatura não passa de um pedaço de papel inútil; o traço de uma caneta é o que lhe confere todo seu valor. A oração de um pobre filho de Adão é, em si, algo medíocre, mas, uma vez endossada pelas mãos do Senhor Jesus, vale muito. Havia um oficial em Roma cuja casa diziam estar sempre aberta a fim de receber qualquer cidadão romano que procurasse seu auxílio. Igualmente, os ouvidos do Senhor Jesus estão sempre abertos ao clamor de todos os que desejam misericórdia e graça. O ofício dele é oferecer auxílio a essas pessoas. Ele se deleita em suas orações. Leitor, pense nisso. Não é animador?

Vamos concluir este capítulo voltando-nos a algumas palavras de nosso Senhor referentes à relação entre fé e oração:

Encontrando uma figueira à beira do caminho, foi ver se havia figos, mas só encontrou folhas. Então, disse à figueira: "Nunca mais dê frutos!". E, no mesmo instante, a figueira secou.

Quando os discípulos viram isso, ficaram admirados e perguntaram: "Como a figueira secou tão depressa?".

Jesus respondeu: "Eu lhes digo a verdade: se vocês tiverem fé e não duvidarem, poderão fazer o mesmo que fiz com esta figueira, e muito mais. Poderão até dizer a este monte: 'Levante-se e atire-se no mar', e isso acontecerá. Se crerem, receberão qualquer coisa que pedirem em oração".

Mateus 21.19-22

Mais uma vez, nosso Senhor diz:

Eu lhes digo a verdade: quem crê em mim fará as mesmas obras que tenho realizado, e até maiores, pois eu vou para o Pai. Vocês podem pedir qualquer coisa em meu nome, e eu o farei, para que o Filho glorifique o Pai. Sim, peçam qualquer coisa em meu nome, e eu o farei!

João 14.12-14

E, adiante:

Mas, se vocês permanecerem em mim e minhas palavras permanecerem em vocês, pedirão o que quiserem, e isso lhes será concedido!

João 15.7

Eu lhes digo a verdade: vocês pedirão diretamente ao Pai e ele atenderá, porque pediram em meu nome. Vocês nunca pediram desse modo. Peçam em meu nome e receberão, e terão alegria completa.

João 16.23-24

Tem fé em Deus

Tem fé em Deus, pois aquele que reina no céu
Suportou tua dor e ouve teu gemido de réu;
Sossega nos braços dele, refúgio de todo fiel.
Tem fé em Deus!

Não temas invocá-lo, alma indefesa!
Repousa no peito dele e sussurra ali tua tristeza;
O Senhor é sempre presente e nossa fortaleza.
Tem fé em Deus!

Não te reclines sobre os juncos do Egito;
Não sacies tua sede em poço proscrito;
Busca primeiro o reino e a justiça do Pai bendito.
Tem fé em Deus!

Vai e dize-lhe tudo! O suspiro que sobe de teu coração
É ouvido no céu. De lá força e paz virão,
Por Jesus, que entregou a vida e te deu salvação.
Tem fé em Deus!

ANNA SHIPTON

9
Petição

Outro elemento que percebo na oração é a PETIÇÃO. Quão frequentemente participamos de reuniões de oração sem de fato pedir nada! Nossas orações rodeiam o mundo sem que haja nenhum rogo específico. Não esperamos nada. Muitas pessoas ficariam imensamente surpresas se Deus lhes atendesse as orações. Lembro-me de ter ouvido falar de um homem bastante eloquente que, ao conduzir uma reunião de oração, não apresentou sequer um pedido específico durante todo o encontro. Uma mulher pobre e sincera bradou: "Peça alguma coisa, homem!". Quantas vezes não ouvimos supostas orações em que não há súplica nenhuma! "Peçam e receberão" (Mt 7.7).

Creio que, se tirarmos do caminho todas as pedras de tropeço, Deus responderá às nossas orações. Se abandonarmos o pecado e viermos à presença de Deus com mãos puras, como ele ordenou que fizéssemos, nossas orações terão poder nele. No Evangelho de Lucas, há um grande complemento à oração ensinada aos discípulos: "Peçam, e receberão. Procurem, e encontrarão. Batam, e a porta lhes será aberta" (Lc 11.9). Algumas pessoas acham que Deus não gosta de ser importunado com os frequentes pedidos que dirigimos a ele. A única maneira de importunar Deus é deixando de ir até ele. Deus nos exorta a buscá-lo repetidamente e nos compele a apresentar-lhe petições.

Acredito ser possível encontrar três tipos de cristãos na igreja hoje. O primeiro são aqueles que *pedem*; o segundo, aqueles que *buscam*; e o terceiro, aqueles que *batem*.

— Professor — disse um moço animado e de feição sincera —, por que há tantas orações não respondidas? Não entendo. A Bíblia diz: "Peçam, e receberão. Procurem, e encontrarão. Batam, e a porta lhes será aberta", mas me parece que muitos batem e não são recebidos.

O professor respondeu:

— Você nunca se sentou perto da agradável lareira em sua sala de estar, numa noite escura, e ouviu uma forte batida à porta? Ao atender o pedinte, alguma vez já lhe aconteceu de olhar a escuridão lá fora e não ver nada, apenas ouvir os passos de um menino travesso que bateu à porta, mas não desejava entrar e, por isso, correu para longe? Muitas vezes, é assim conosco. Pedimos bênçãos, mas não as desejamos de verdade; batemos sem a intenção de entrar; receamos que Jesus não nos ouça, não cumpra suas promessas, não nos receba; então, vamos embora.

— Ah, compreendo — disse o rapaz de semblante sincero, com os olhos brilhando pela nova luz que raiava em sua alma. — Não devemos esperar que Jesus responda a batidas *furtivas*. Ele nunca prometeu isso. Devo continuar batendo, batendo, até que ele *não consiga deixar de abrir a porta*.

Com muita frequência, batemos à porta da misericórdia e então corremos, em vez de aguardar para entrar e ser atendidos. Desse modo, agimos como se receássemos receber respostas às nossas orações.

Muitas pessoas oram dessa maneira; elas não esperam pela resposta. Nesse sentido, nosso Senhor nos ensina que não devemos apenas pedir, mas aguardar a resposta; se ela não vier, devemos buscar descobrir a razão disso. Creio que recebemos muitas bênçãos tão somente pelo fato de pedi-las; outras, deixamos de receber porque, possivelmente, há algo em nossa vida que precisa ser trazido à luz. Quando Daniel começou a orar, na Babilônia, pela libertação de seu povo, ele procurou saber qual era o problema e por que Deus desviara o rosto para não olhar para aquela gente. Portanto, pode ser que haja algo em nossa vida que esteja retendo a bênção; se assim for, devemos descobrir o que é. Ao tratar desse assunto, alguém comentou: "Precisamos pedir com a humildade de um mendicante, procurar com o cuidado de um servo, e bater com a confiança de um amigo".

Quantas vezes as pessoas desanimam e dizem não saber se Deus responde ou não às orações! Na parábola da viúva persistente, Cristo nos ensina que não apenas devemos orar e buscar, mas também encontrar. Se o juiz injusto ouviu a petição daquela pobre mulher que insistia em suas súplicas, quanto mais nosso Pai celestial ouvirá nosso clamor! Há muitos anos, um irlandês foi condenado à forca em Nova Jersey. Toda tentativa de suspensão da pena foi apresentada ao governador, mas este se manteve irredutível e recusou-se a mudar a sentença. Certa manhã, a esposa do condenado, acompanhada de seus dez filhos, foi até o governador. Quando este entrou em seu gabinete, a mulher e as crianças se curvaram e imploraram que tivesse misericórdia do marido/pai. O coração do governador se comoveu, e ele logo concedeu um indulto. A persistência da esposa e dos filhos salvou a vida daquele homem, como ocorreu com a mulher da parábola, que, insistindo em suas petições, persuadiu o juiz injusto a atender seu pedido.

Foi isso o que trouxe resposta à oração de Bartimeu. Os outros, incluindo até mesmo os discípulos, tentaram silenciá-lo, mas tudo o que ele fazia era clamar em alta voz: "Filho de Davi, tenha misericórdia de mim!" (Lc 18.38).

A oração quase nunca é mencionada de forma avulsa na Bíblia; fala-se em oração e sinceridade, oração e vigilância, oração e ação de graças. É esclarecedor o fato de, ao longo das

Escrituras, a oração estar sempre ligada a algo mais. Bartimeu estava determinado, e o Senhor ouviu seu clamor.

Portanto, o cristão mais excelente é aquele que não deixa nenhuma dúvida acerca de seu pedido e de sua busca e continua batendo até que venha a resposta. Deus prometeu que, se batermos, ele abrirá a porta e atenderá nossa petição. Pode levar anos até que a resposta chegue; Deus pode nos deixar batendo, mas prometeu que a resposta virá.

Vou lhe dizer o que entendo por "bater". Há alguns anos, quando nos reuníamos em determinada cidade, chegamos a um ponto em que parecia haver muito pouco poder entre nós. Chamamos todas as mães e pedimos a elas que se reunissem para orar pelos filhos. Cerca de mil e quinhentas mães se juntaram em oração e derramaram o coração diante de Deus. Uma delas disse:

— Gostaria que vocês orassem por meus dois filhos. Eles se lançaram em uma onda de bebedeira, e a impressão que tenho é de que meu coração vai despedaçar.

Ela era viúva. Algumas outras mães se aproximaram dela e sugeriram:

— Vamos nos unir em oração por esses rapazes.

Elas clamaram ao Senhor pelos dois moços que se haviam perdido. Agora, veja como Deus respondeu às orações dessas mulheres.

Os dois irmãos tinham planejado se encontrar, naquele mesmo dia, na esquina da rua onde essa reunião acontecia. Eles passariam a noite envolvidos em devassidão e pecado. Por volta das sete da noite, o primeiro chegou ao local combinado e viu as pessoas se encaminhando para a reunião. Como chovia muito, ele decidiu entrar e ficar ali por um tempo. Alcançado pela palavra de Deus, foi até a sala de inquirição, onde entregou o coração ao Salvador.

O outro moço ficou na esquina, esperando pelo irmão, até o momento em que a reunião começou; ele não sabia que o irmão estava lá dentro. Havia um encontro de rapazes em uma igreja próxima, e esse moço resolveu ver o que acontecia ali. Então, seguiu as pessoas que se dirigiam para lá. Ele também foi impactado pelo que ouviu e foi o primeiro a entrar na sala de inquirição, onde encontrou paz. Nesse ínterim, o primeiro irmão foi para casa, para alegrar o coração da mãe com a boa notícia. Ele a encontrou de joelhos, batendo à porta da misericórdia. Enquanto ela fazia isso, o filho entrou e lhe disse que as orações dela haviam sido respondidas; a alma dele tinha sido salva. Não muito tempo depois, o outro irmão entrou e deu seu relato de como, também ele, fora abençoado.

Na noite da segunda-feira seguinte, o primeiro a se levantar durante a reunião dos jovens convertidos foi um desses irmãos, contando a história de sua conversão. Ele mal havia retornado ao seu assento quando o outro saltou e disse: "Tudo o que ele lhes contou é verdade; sou o irmão dele. O Senhor realmente nos encontrou e abençoou".

Ouvi falar de uma mulher, na Inglaterra, cujo marido não era convertido. Ela resolveu orar diariamente durante doze meses pela conversão dele. Todos os dias, ao meio-dia, ela ia para seu quarto sozinha e clamava a Deus. O marido não permitia que ela tocasse nesse assunto; mas ela podia falar com Deus em benefício dele. Pode ser que você tenha um amigo que não queira falar acerca da própria salvação; então, você pode fazer como essa mulher: ir até Deus e orar a esse respeito. Passados os doze meses, não havia nenhum sinal de que o marido se rendera. A mulher decidiu orar por mais seis meses; todos os dias, ficava sozinha intercedendo pela conversão do esposo. Os seis meses se passaram, e ainda nenhum indício, nenhuma resposta. Uma pergunta lhe veio à mente:

"Ela poderia desistir?". "Não", respondeu. "Vou orar por ele enquanto Deus me der fôlego." Naquele mesmo dia, quando o esposo chegou para o jantar, em vez de ir direto para a mesa, ele foi para o piso superior da casa. A mulher esperou, esperou, esperou, mas nada de ele descer para comer. Por fim, ela subiu ao quarto dele e o encontrou ajoelhado, clamando a Deus que lhe fosse misericordioso. Deus o convencera do pecado, pelo que não somente ele se tornou cristão como também a Palavra do Senhor operou livremente e foi honrada na vida dele. Deus o usou de forma poderosa. Foi assim que o Senhor respondeu às orações daquela mulher cristã; ela bateu e bateu até que a resposta viesse.

Outro dia, ouvi algo que muito me alegrou. Durante quarenta anos, fizeram-se orações em prol de um homem, mas não havia nenhum sinal de resposta. A impressão era de que ele desceria ao túmulo como uma das pessoas mais presunçosas que já existiu na face da terra. O convencimento sobre o próprio pecado veio em determinada noite. Na manhã seguinte, ele enviou uma mensagem à família, dizendo à filha: "Quero que você ore por mim. Ore para que Deus perdoe meus pecados; minha vida não tem sido nada além de pecado — pecado". E esse convencimento veio em uma noite. O que devemos fazer é apresentar insistentemente nossa situação diante do trono de Deus. Não raro, fico sabendo de casos de homens que vieram aos nossos encontros e, embora não pudessem ouvir uma palavra dita ali, pareceu-lhes que um poder invisível os envolvia de modo que se convenciam e se convertiam na mesma hora.

Lembro-me de uma mulher que veio pela primeira vez a um local onde nos reuníamos e pediu que eu conversasse com seu esposo. "Ele não tem interesse", ela comentou, "mas tenho esperança de que venha a ter." Falei com ele e acredito que foram poucas as vezes em que um homem me pareceu tão soberbo.

A impressão era a de que eu havia falado com um poste de ferro, de tanto que ele se fechara em seu senso de retidão. Eu disse à mulher que ele não tinha absolutamente o menor interesse. Ela respondeu: "Eu o avisei disso, mas me interesso assumindo o lugar dele". Durante os trinta dias que passamos ali, aquela mulher nunca desistiu. Devo confessar que ela tinha dez vezes mais fé por ele do que eu. Conversei com ele diversas vezes, sem conseguir ver nenhum raio de esperança. Na antepenúltima noite, o homem veio até mim e disse:

— Pode me encontrar em outra sala?

Retirei-me dali com ele e lhe perguntei qual era o problema. Ele respondeu:

— Sou o maior pecador do estado de Vermont.

— Como assim? — perguntei. — Há algum pecado específico do qual você se sente culpado?

Devo admitir que achava que ele havia cometido algum crime terrível, algo que tivesse mantido encoberto e que agora desejava confessar.

— Minha vida é só pecado. Deus me mostrou isso hoje.

Aquele homem pediu que o Senhor lhe fosse misericordioso e, então, voltou para casa regozijando pela certeza do perdão de seus pecados. Era alguém convencido e convertido em resposta à oração. Portanto, se você está aflito pela conversão de algum familiar ou amigo, comprometa-se a não dar descanso a Deus, dia e noite, até que atenda seu pedido. O Senhor pode alcançar essa pessoa, onde quer que ela esteja — no local de trabalho, em casa, em qualquer lugar —, e trazê-la aos pés dele.

O dr. Austin Phelps, em sua obra *Still Hour* [Hora silenciosa], afirma:

A expectativa de ganhar algo sempre acarretará a expressão de intenso desejo. O sentimento que virá espontaneamente a um cristão influenciado por essa verdade é: "Faço meu devocional esta manhã em meio à incerteza da vida real. Não se trata de romance, nem de farsa. Não vim aqui para falar de um arranjo de palavras; não tenho desejos dramáticos para apresentar. Tenho algo a ganhar, tenho um objetivo a alcançar. Esse é um assunto no qual estou prestes a me engajar. A expectativa de um astrônomo ao apontar seu telescópio para o firmamento a fim de penetrar céus mais distantes não é mais legítima do que a intenção que tenho de alcançar a mente de Deus elevando meu coração ao trono da graça. Esse é o privilégio do chamado de Deus para mim em Cristo Jesus. Até mesmo minha voz vacilante agora é ouvida no céu, apresentando-se ali de forma mais intensa, atitude essa cujos resultados somente Deus pode saber e somente a eternidade pode produzir. Portanto, ó Senhor, isso é o que teu servo encontra no coração para levar a ti em oração!

Jeremy Taylor diz:

O desejo indiferente é um grande inimigo para o êxito da oração do bom homem. Há que se fazer uma oração intencional, zelosa, ativa, operante; considere que enorme indecência é o fato de um homem falar a Deus sobre algo a que não dá valor! Nossas orações censuram nosso espírito quando nos mostramos resignados ao pedir aquelas coisas pelas quais deveríamos nos doar à morte, coisas mais preciosas que cetros imperiais, mais ricas que os espólios do mar ou os tesouros das colinas da Índia.

O dr. William Patton, em sua obra sobre respostas notáveis à oração, afirma:

Jesus ordena que procuremos. Imagine uma mãe à procura de um filho perdido. Ela busca por toda a casa e nas ruas, vasculha campos e bosques, examina as margens dos rios. Um vizinho sábio a encontra e diz: "Continue procurando, olhe em toda parte; inspecione todo local acessível. Na verdade, nada será encontrado, mas a busca em si é uma coisa boa. Ela expande a mente, fixa a atenção, contribui para a observação, torna muito real a noção que se tem da criança. Então, depois de um tempo, você deixará de desejar encontrar seu filho". As palavras de Cristo são: "Batam, e a porta lhes será aberta". Pense em um homem batendo insistente e audivelmente à porta de uma casa. Depois de passar uma hora fazendo isso, uma janela se abre, e o ocupante da casa coloca a cabeça para fora e diz: "Isso mesmo, amigo; não vou abrir a porta, mas continue batendo. Esse é um excelente exercício que o deixará mais saudável. Bata até o pôr do sol; então, volte amanhã e passe o dia todo batendo. Após alguns dias, você atingirá um estado mental em que já não se importará em entrar". É mesmo esse o entendimento que Jesus desejou que tivéssemos quando disse: "Peçam, e receberão. Procurem, e encontrarão. Batam, e a porta lhes será aberta"? Não resta dúvida de que logo a pessoa deixaria de pedir, procurar e bater; e faria isso motivada pelo desgosto, não é?

Nada é mais agradável diante de nosso Pai que está no céu que a oração objetiva, insistente, perseverante. Duas mulheres cristãs, sentindo o grande perigo que corriam seus maridos não convertidos, concordaram em passar uma hora por dia unidas em oração pela salvação deles. Foi assim por sete anos, até que elas se perguntaram se deveriam continuar orando, visto que suas orações pareciam bastante inúteis. Essas mulheres decidiram perseverar até a morte e resolveram que, caso os esposos viessem a sucumbir, o sepultamento deles deveria ser acompanhado de oração. Com força renovada, oraram durante mais três anos; então, certa noite, uma delas foi despertada pelo marido, que se via em extrema agonia por causa do pecado. Assim que amanheceu, ela alegremente se apressou em contar à sua companheira de oração que Deus estava prestes a responder às orações. Para sua surpresa, encontrou a amiga vindo até ela pelo mesmo motivo! Assim, uma década de oração partilhada e perseverante foi coroada com a conversão dos dois maridos no mesmo dia.

Não há como exagerarmos em nossos pedidos; Deus não se cansa da oração de seus filhos. *Sir* Walter Raleigh pediu um favor à rainha Elizabeth, ao que ela respondeu:

— Raleigh, quando você vai parar de suplicar?

— Quando vossa Majestade deixar de consentir — respondeu ele.

Assim, devemos continuar orando durante todo o tempo.

O sr. George Muller, em um recente discurso que proferiu em Calcutá, afirmou que, em 1844, cinco pessoas lhe vieram ao coração, e ele começou a orar por elas. Passaram-se dezoito meses antes que uma delas se convertesse. Ele orou por mais cinco anos, e outra se converteu. Ao final de doze anos e meio, uma terceira se converteu. Agora, já fazia quarenta anos que ele vinha orando pelas outras duas, sem deixar de fazê-lo um dia sequer, por motivo nenhum; mas elas ainda não haviam se convertido. Contudo, ele se sentia encorajado a continuar em oração, certo de que receberia uma resposta quanto àquelas que ainda resistiam ao Espírito.

Ver a face do Salvador

Doce é o precioso dom da oração,
 Diante do trono da graça prostrar-nos;
Deixar ali todo fardo e carga,
 Da armadura celeste armar-nos;

Para correr a corrida então teremos vigor
Na dependência única do Senhor.

Suave é o sussurro de seu amor,
    Quando a mente sucumbe, pesada;
Nossos medos e culpas afasta,
    Com o sangue de Cristo é a alma renovada;
Ah, então é deveras doce saber
Que Deus justo e gracioso ele pode ser.

Ver a face de nosso Salvador!
    Ser liberto do pecado e da agonia!
Habitar em seu divino abraço,
    Muito mais doce ainda seria!
Neste mundo a mais sublime felicidade
É menos que nada comparada à eternidade.

10
Submissão

Outro elemento essencial na oração é a SUBMISSÃO. Toda oração legítima deve ser apresentada em total submissão a Deus. Uma vez que tenhamos tornado nossos pedidos conhecidos por ele, nossa linguagem deve ser esta: "Seja feita a tua vontade". Eu prefiro mil vezes que se faça a vontade de Deus em lugar da minha. Não posso ver o futuro como Deus vê; por isso, é bem melhor deixar o Senhor escolher por mim do que eu decidir por minha própria conta. Sei o que ele pensa sobre assuntos espirituais. A vontade dele é que eu seja santificado; então, posso orar a Deus por isso com confiança e esperar resposta para minhas preces. Todavia, em se tratando de assuntos mundanos, é diferente: aquilo que peço pode não ser o propósito de Deus para mim.

Como já disseram bem: "Esteja certo de que orar não significa fazer Deus descer até meus pensamentos e intenções e submeter seu governo às minhas ideias tolas, ignorantes e, por vezes, pecaminosas. Orar significa erguer-me à comunhão com o sentimento e os desígnios dele; participar de seus planos e cumprir plenamente seu propósito. Receio que, às vezes, pensemos na oração como algo totalmente oposto a isso, como se, por meio dela, pudéssemos persuadir ou influenciar nosso Pai que está no céu a fazer tudo o que vem à nossa cabeça de modo a cumprir nossos intentos estúpidos e mal fundamentados. Estou bem convencido de que Deus sabe o que é melhor para mim e para o mundo mais do que eu possa vir a saber;

e, ainda que tivesse autoridade para dizer: 'Seja feita a *minha* vontade', eu preferiria dizer a ele: 'Seja feita a *tua* vontade'".

Diz-se que uma mulher, estando doente, foi interrogada sobre se desejava viver ou morrer, ao que ela respondeu:

— O que agradar a Deus.

Então lhe perguntaram:

— Mas, se Deus deixasse a seu critério, o que você escolheria?

— Sinceramente, eu deixaria a critério dele também.

É assim que o ser humano alcança a vontade de Deus: submetendo a própria vontade a Deus.

Quanto a isso, o sr. Spurgeon destaca:

O crente recorre a Deus em todo tempo a fim de manter-se em comunhão com a mente divina. A oração não é um solilóquio, mas um diálogo; não é um ato de introspecção, mas de olhar para os montes, de onde nos virá o socorro. Sentimos alívio quando desabafamos com um amigo compreensivo, e a fé promove muito desse sentimento; mas há mais do que isso na oração. Quando chegamos ao fim de uma obediente diligência e, ainda assim, aquilo de que necessitamos não foi alcançado, a mão de Deus é fiel para ir além de nós tanto quanto foi fiel para que nela nos apoiássemos até então. A fé não deseja o cumprimento de sua própria vontade quando esta não concorda com a mente de Deus; pois, em essência, esse desejo seria o impulso para uma descrença pela qual não confiaríamos no juízo divino como nosso melhor guia. A fé sabe que a vontade de Deus é o bem mais sublime e que tudo o que nos for benéfico chegará a nós como resposta de oração.

A história nos informa que, havendo os Tusculani, povo da Itália, ofendido os romanos, cujo poder era infinitamente superior ao deles, Camilo, líder de um exército romano numeroso, pôs-se em marcha para subjugá-los. Ciente da própria inabilidade para lidar com tal adversário, os Tusculani recorreram ao seguinte método para apaziguá-lo: refutaram todas as ideias de resistência, abriram os portões, e cada pessoa se dedicou a seu próprio ofício, todos decididos a submeter-se por saber que o confronto seria inútil. Ao entrar na cidade deles, Camilo ficou perplexo com a sabedoria e a candura de tal comportamento e se dirigiu ao povo com estas palavras: "Somente vocês, dentre todos os povos, descobriram o verdadeiro método para aplacar a fúria romana, e a submissão de vocês se revelou sua melhor defesa. Assim, em nosso coração há tanto desejo de prejudicá-los quanto, em outros termos, vocês se viram em condição de se opor a nós". O magistrado-chefe respondeu: "Estamos tão sinceramente arrependidos de nossa insensatez de outrora que, certos da satisfação que isso causaria a um generoso adversário, não tememos reconhecer nossa falta".

À vista da dificuldade de levar nosso coração a essa total submissão à vontade divina, bem podemos nos valer da oração de Fenelon: "Ó Deus, toma meu coração, pois não consigo entregá-lo; e, quando ele estiver em tuas mãos, preserva-o, pois não consigo preservá-lo para ti. Salva-me a despeito de mim mesmo".

Algumas das pessoas mais excelentes que o mundo já viu cometeram grandes equívocos nesse sentido. Moisés pôde orar por Israel e triunfar com Deus; mas o Senhor não respondeu à petição que ele fez em favor próprio. Moisés pediu que Deus o levasse para além do Jordão, para que pudesse ver o Líbano, e, depois de quarenta anos perambulando no deserto, quis entrar na terra prometida, mas o Senhor não atendeu tal desejo. Esse foi um sinal de que Deus não o amava? De modo nenhum. Moisés era um homem extremamente amado por Deus, assim como Daniel; e, no entanto, o Senhor não respondeu a essa oração.

Você tem um filho que diz: "Quero isto, quero aquilo", mas você não atende o pedido dele, pois sabe que o arruinaria se lhe desse tudo o que ele deseja. Moisés almejava entrar na terra prometida, mas o Senhor reservara outra coisa para ele. Como já disseram: "Deus despediu sua alma e o levou consigo para casa. Deus o sepultou" — foi a maior honra já concedida a um mortal.

Mil e quinhentos anos depois de responder à oração de Moisés, Deus permitiu que ele estivesse na terra prometida para vislumbrar a glória vindoura. No monte da transfiguração, com Elias, o grande profeta, e também com Pedro, Tiago e João, Moisés ouviu a voz que vinha do trono de Deus: "Este é meu Filho, meu Escolhido. Ouçam-no!" (Lc 9.35). Isso foi melhor que passar o Jordão, como Josué fizera, e permanecer por trinta anos na terra de Canaã. Portanto, quando nossas orações por coisas terrenas não forem respondidas, submetamo-nos à vontade de Deus sabendo que tudo vai bem.

Quando alguém perguntou a um garoto surdo-mudo por que ele achava que nascera daquele jeito, ele pegou um giz e escreveu na lousa: "Sim, Pai, foi do teu agrado fazer-me assim".

John Brown, de Haddington, disse certa vez:

> Não há dúvida de que passei por provações como as outras pessoas; ainda assim, Deus foi tão gentil comigo que acho que, se ele me desse mais tantos anos quanto os que já vivi neste mundo, eu não desejaria que nenhuma circunstância de minha vida fosse diferente, com exceção de que gostaria de ter pecado menos. Poderiam escrever em meu caixão: "Aqui jaz alguém cuidado pela Providência, uma pessoa que perdeu pai e mãe bem cedo e, apesar disso, nunca sentiu falta do cuidado de nenhum dos dois".

Elias era poderoso em oração; trouxe do céu fogo para seu sacrifício, e suas petições trouxeram chuva para a terra sedenta.

Com destemor, colocou-se diante do rei Acabe no poder da oração. E, no entanto, nós o encontramos sentado debaixo de um zimbro como um covarde, pedindo a Deus que o deixasse morrer. O Senhor o amava muito para permitir isso; ele o levaria ao céu numa carruagem de fogo. Assim, não devemos permitir que o diabo se aproveite de nós, fazendo-nos acreditar que Deus não nos ama por não conceder a todos os nossos pedidos no tempo e à maneira como gostaríamos que ele fizesse.

Tal como Moisés é mais citado no Antigo Testamento que qualquer outro personagem, o mesmo ocorre com Paulo no Novo Testamento, com exceção, talvez, do próprio Senhor Jesus. Entretanto, Paulo não sabia como orar em seu próprio benefício. Ele suplicou a Deus que lhe removesse "um espinho na carne" (2Co 12.7). Seu pedido não foi atendido, mas o Senhor lhe concedeu uma bênção muito maior. Deus lhe ofereceu mais graça. Pode ser que carreguemos alguma provação, algum espinho na carne. Se não é da vontade de Deus removê-lo, peçamos ao Senhor que nos dê mais graça a fim de que possamos suportá-lo. Sabemos que Paulo se gloriava em suas fraquezas e adversidades, pois maior era o poder de Deus que estava sobre ele. É possível que alguns de nós sintam como se tudo lhes fosse adverso. Que o Senhor nos dê graça para que alcancemos a condição de Paulo e afirmemos: "Todas as coisas cooperam para o bem daqueles que amam a Deus" (Rm 8.28, RA). Assim, ao orar a Deus, devemos ser submissos e dizer: "Seja feita a tua vontade".

No Evangelho de João, lemos: "Se vocês (esse 'se' é um grande obstáculo que se apresenta logo de início) permanecerem em mim e minhas palavras permanecerem em vocês, pedirão o que quiserem, e isso lhes será concedido" (Jo 15.7). A última parte do versículo é citada com frequência, mas a primeira não. Isso porque, hoje em dia, é muito raro alguém permanecer em Cristo! As pessoas vão, fazem uma visita a ele de vez em quando, e só. Se Cristo habita meu coração, é evidente que não pedirei nada que contrarie a vontade dele. E quantos de nós temos a Palavra de Deus habitando nosso interior? Devemos dispor de algo que subscreva nossas orações. Se há alguma coisa pela qual ansiamos muito, devemos examinar as Escrituras para descobrir se é certo pedi-la. Boa parte do que almejamos não nos será benéfica; e muitas outras coisas que queremos evitar são, de fato, as melhores bênçãos que poderíamos alcançar. Certa manhã, um amigo meu estava fazendo a barba quando seu filho pequeno, que ainda não tinha nem quatro anos completos, pediu que ele lhe desse o barbeador, dizendo que gostaria de cortar algo com o aparelho. Ao saber que não poderia usar o barbeador, o menino começou a chorar como se seu coração estivesse a ponto de entrar em colapso. Receio haver entre nós muita gente orando por aparelhos de barbear. John Bunyan bendisse a Deus por aquela prisão em Bedford mais do que por qualquer outro fato que lhe aconteceu na vida. Nunca oramos por aflições, embora, muitas vezes, essa seja a melhor coisa que possamos pedir.

William Dyer comenta:

Aflições são bênçãos quando podemos bendizer a Deus por elas. O sofrimento tem evitado que muitos venham a pecar. Deus teve um Filho isento de pecado, mas não teve nenhum isento de sofrimento. Fortes provações fazem excelentes cristãos; aflições santas são degraus espirituais.

Samuel Rutherford escreve belamente ao referir-se ao valor da provação santa e à sabedoria de submeter-se à vontade de Deus:

Ah, quanto devo à lima, ao martelo, à fornalha de meu Senhor Jesus, que agora me faz ver quão valioso é o trigo de

Cristo, o grão que atravessa seu moinho e seu forno a fim de tornar-se pão em sua mesa! Melhor que a graça é a graça provada; é mais do que graça: é o prenúncio da glória. Agora sei que a piedade ultrapassa a aparência e supera os adereços e os ornamentos deste mundo. Quem conhece a verdade da graça sem passar por provação? Ah, quão pouco Cristo recebe de nós; contudo, muito lhe oferece aquele a quem ele conquista por meio da labuta e da dor! Quão rapidamente se torna congelada a fé que não experimenta a cruz! Quantas cruzes fúteis foram colocadas sobre meus ombros, e nenhuma língua me falou da doçura de Cristo tanto quanto isso! Quando Cristo bendisse suas próprias tribulações, elas sopraram o amor, a sabedoria e a bondade dele, bem como o cuidado que ele teve por nós. Por que devo pôr as mãos no arado do Senhor, se isso faz abrir sulcos profundos em minha alma? Sei que ele não é um lavrador indolente; foi ele quem estabeleceu o plantio. Que esses campos secos e pálidos se tornem férteis para a colheita do Senhor, o qual os aduba com tanto padecimento, e que esse chão ocioso não mais exista! Por que foi que eu (um tolo!) me ressenti quando ele colocou sua coroa — a glória e a honra de suas testemunhas fiéis — sobre minha cabeça? Agora, almejo deixar de contender com Cristo. De fato, ele não me prejudicou com o sofrimento em que vivo; ele não me deve nada. Quando eu estava entre grilhões, quão suave e agradável foi para mim manter os pensamentos nele, em quem encontro suficiente galardão! Quão cegos são os adversários que me enviaram a casas de banquete, a casas de vinho e às alegres celebrações do meu amado Senhor Jesus, em vez de me mandarem à prisão ou ao lugar de exílio!

Podemos concluir nossos comentários acerca desse tema referindo-nos às palavras do profeta Jeremias em Lamentações, em que diz:

O Senhor é bom para os que dependem dele,
  para os que o buscam.
Portanto, é bom esperar em silêncio
  pela salvação do Senhor.
É bom as pessoas se sujeitarem, ainda jovens,
  ao jugo de sua disciplina.

Que permaneçam sozinhas e em silêncio
  sob o jugo do Senhor.
Que se deitem com o rosto no pó,
  pois talvez ainda haja esperança.
Que deem a outra face para os que os ferem
  e aceitem os insultos de seus inimigos.

Pois o Senhor
  não abandona ninguém para sempre.
Embora traga tristeza, também mostra compaixão,
  por causa da grandeza de seu amor.
Pois não tem prazer em afligir as pessoas,
  nem em lhes causar tristeza.

Quando alguém esmaga sob os pés
  todos os prisioneiros da terra,
quando nega a outros seus direitos
  em oposição ao Altíssimo,
quando distorce a justiça nos tribunais,
  será que o Senhor não vê tudo isso?

Quem pode ordenar que algo aconteça
  sem a permissão do Senhor?
Acaso o Altíssimo
  não envia tanto a calamidade como o bem?
Então por que nós, humanos, nos queixamos
  quando somos castigados por nossos pecados?

Em vez disso, examinemos nossos caminhos
 e voltemos para o Senhor.
Levantemos o coração e as mãos
 para Deus nos céus.

Lamentações 3.25-41

Submissão

Ouve-me, Deus meu, e se meus lábios ousaram
 Murmurar sob tua mão, ensina-me agora
A sondar na mente até a mais íntima propensão
 À rebeldia e entregá-la a ti pela fé sem demora.
Em um santuário em ruínas por tanto tempo residi,
 Onde ídolos ocuparam o lugar da tua divindade,
Purifica-me, então, e toma esse templo para ti;
 Ensina-me, Senhor, a dizer: "Seja feita a tua vontade".

O que posso trazer como oferta que seja meu?
 Uma juventude amargurada, uma vida de pecado.
O que posso depositar no santo altar teu?
 A esperança do perdão pelo que fiz no passado?
A teus pés me dobro, suplicando teu poder;
 Atrevo-me a erguer meus olhos cheios d'água,
Apelando à promessa de tua Palavra, a saber,
 Que tua mão ao contrito de coração afaga.

Que devo trazer, Senhor? Um espírito exaurido,
 Fatigado pela batalha, ansioso por descanso,
Que deseja tua paz tal como um pássaro ferido,
 Na tormenta, busca da mãe o regaço manso.
Meu sacrifício, o Cordeiro que morreu em meu lugar,
 Apelo aos méritos de teu Filho; tem piedade!

Trago tuas promessas; só em ti hei de confiar
Por amor foste à cruz, Senhor; seja feita a tua vontade!

11
Orações atendidas

No capítulo 15 de João, versículo 7, descobrimos quem são aqueles cujas orações são atendidas: "Se vocês permanecerem em mim e minhas palavras permanecerem em vocês, pedirão o que quiserem, e isso lhes será concedido!". Então, no capítulo 4 de Tiago, versículo 3, encontramos algo sobre aqueles cujas orações não têm resposta: "Quando pedem, não recebem, pois seus motivos são errados". Há uma grande quantidade de orações não respondidas por apresentarem motivações incorretas; não nos alinhamos à Palavra de Deus e pedimos de maneira errada. E é bom que nossas preces não sejam atendidas quando fazemos petições equivocadas.

Se nossas orações não alcançaram resposta, pode ser que as tenhamos feito por um motivo errado ou não tenhamos orado de acordo com as Escrituras. Desse modo, conquanto nossas preces não sejam respondidas como gostaríamos, não devemos desanimar nem desistir de orar.

Um homem procurou George Muller dizendo que queria que ele orasse por algo. O homem afirmou que havia pedido várias vezes a Deus que atendesse seu pedido, mas o Senhor não parecia propenso a fazê-lo. O sr. Muller pegou seu caderno e mostrou ao homem o nome de uma pessoa por quem havia orado durante vinte e quatro anos. A oração, segundo o sr. Muller, ainda não tivera resposta, mas ele depositava sua fé no fato de o Senhor lhe ter assegurado que aquela pessoa se converteria.

Às vezes, notamos que nossas preces são respondidas de imediato, enquanto ainda oramos; outras vezes, a resposta demora a vir. Mas, sobretudo quando se ora por misericórdia, quão rapidamente somos atendidos! Observe Paulo, quando clamou: "Senhor, que queres que faça?" (At 9.6, RC). A resposta chegou no mesmo instante. Quando foi ao templo orar, o publicano obteve resposta imediata. O ladrão na cruz orou: "Jesus, lembre-se de mim quando vier no seu reino" (Lc 23.42), e a resposta veio de pronto, na mesma hora. Há muitos casos como esses na Bíblia, mas também há outros de pessoas que oraram muito e por bastante tempo. O Senhor se deleita em ouvir seus filhos apresentarem pedidos a ele, contando-lhe todos os problemas. Devemos esperar o tempo dele, o qual não sabemos quando é.

Havia, em Connecticut, uma mãe cujo filho servia o exército; o coração dela quase parou quando ele saiu de casa, pois o rapaz não era cristão. Dia após dia, ela levantava a voz em oração por aquele seu garoto. Mais tarde, ela soube que o filho fora levado ao hospital e ali acabara morrendo; contudo, ela não descobriu nada acerca das condições em que ele faleceu. Os anos se passaram, e um dia um amigo veio à procura de algum membro da família do moço. Ao notar que havia um retrato do jovem soldado na parede da casa, o visitante perguntou:

— Você conheceu aquele jovem?

— Aquele jovem era meu filho. Ele morreu na última guerra — respondeu a mulher.

— Eu o conheci muito bem; ele fazia parte do meu batalhão. Então, a mãe perguntou:

— Você sabe algo sobre como ele morreu?

— Eu estava no hospital. Seu filho teve uma morte muito tranquila; ele triunfou na fé.

Aquela mulher tinha perdido a esperança de saber alguma coisa a respeito do filho, mas, antes que seus dias terminassem, ela teve a satisfação de descobrir que suas preces haviam prevalecido diante de Deus.

Penso que, ao chegarmos ao céu, descobriremos que muitas das preces que fizemos e julgávamos não atendidas, na verdade, tiveram resposta. Quando fazemos uma verdadeira oração de fé, Deus não nos desaponta; não duvidemos dele. Em certa ocasião, durante uma reunião de que participei, um senhor apontou para um indivíduo e disse:

— Está vendo aquele homem ali? É um dos líderes de um clube de incrédulos.

Quando me assentei ao lado desse incrédulo, este afirmou:

— Não sou cristão. Vocês vêm enganando essas pessoas já há muito tempo, fazendo algumas dessas idosas acreditarem que vocês recebem respostas de oração. Provem-me isso.

Eu orei e, ao me levantar, o incrédulo disse, com boa dose de sarcasmo:

— Não me converti; Deus não respondeu à sua oração!

Falei:

— Mas você ainda pode vir a se converter.

Algum tempo depois, recebi uma carta de um amigo dizendo que aquele homem se convertera e agora participava ativamente das reuniões.

Jeremias orou: "Ó Soberano SENHOR! Tu fizeste os céus e a terra com tua mão forte e teu braço poderoso. Nada é difícil demais para ti!" (Jr 32.17). Nada é difícil demais para Deus: eis uma boa frase para se adotar como lema. Acredito que este é um tempo de grandes bênçãos no mundo, e podemos esperar coisas tremendas. Enquanto a bênção desce por todo lado, que nós nos levantemos e a compartilhemos. Deus orientou: "Pergunte-me e eu lhe contarei coisas maravilhosas, segredos que você não sabe, a respeito do que está por vir" (Jr 33.3). Clamemos ao Senhor e oremos para que tudo se faça por amor a Cristo, e não a nós.

Durante uma convenção cristã, muitos anos atrás, um dos líderes levantou e falou sobre o tema "Por amor a Cristo", lançando nova luz sobre essa expressão. Eu jamais a tinha entendido daquela forma. Quando a guerra estourou, o único filho desse senhor já havia se alistado; esse pai nunca tinha visto um regimento de soldados, mas seu coração os seguia. Eles estabeleceram um quartel na cidade onde esse senhor morava, e ele alegremente integrou o comitê local, atuando como presidente. Algum tempo mais tarde, disse à esposa: "Dediquei muito tempo a esses rapazes, e acabei negligenciando meu próprio negócio"; então, determinado a não se deixar perturbar por nenhum soldado naquele dia, seguiu para seu escritório. Pouco depois, a porta se abriu, e ele viu um soldado entrando em sua sala. Ele não deu atenção e continuou escrevendo; o pobre rapaz ficou esperando por algum tempo e, por fim, entregou um pedaço de papel velho e sujo, onde havia algo escrito. Vendo que a caligrafia era a de seu filho, o senhor pegou a carta rapidamente e a leu. O conteúdo era mais ou menos este: "Querido pai, esse jovem rapaz pertence ao meu batalhão. Ele perdeu a saúde defendendo o país e está a caminho de casa para acompanhar a morte da mãe. Trate-o com cordialidade, por amor a Charlie". Aquele senhor deixou o trabalho imediatamente e foi para casa levando o soldado consigo; ali, o moço recebeu toda a atenção até que estivesse pronto para ser enviado à sua própria casa, para ver a mãe. Então, ao levar o rapaz até a estação, o senhor o despediu com um "Deus o abençoe, por amor a Charlie!".

Que nossas orações sejam feitas por amor a Cristo. Se queremos que nossos filhos e filhas se convertam, oremos para que isso se cumpra por amor a Cristo. Se nossa motivação for essa, nossas preces serão atendidas. Se Deus deu seu filho ao mundo, o que não nos dará? Se ele entregou Cristo aos assassinos e blasfemos, aos rebeldes de um mundo que jaz na maldade e no pecado, o que não daria àqueles que o procuram por amor a Cristo? Oremos para que Deus avance com sua obra, não para nossa glória — não por amor a nós —, mas por amor a seu Filho amado, a quem enviou.

Portanto, recordemos que, ao orar, devemos esperar a resposta e procurar por ela. Lembro que, no encerramento de uma reunião numa das cidades ao sul, já no final da guerra, um homem veio até mim chorando e tremendo. Pensei que algo do que eu tinha dito o despertara e comecei a perguntar-lhe o que havia acontecido. Descobri, porém, que ele não conseguia dizer uma palavra do que eu havia pregado.

— Amigo, qual é o problema? — perguntei.

Ele colocou a mão no bolso e dali tirou uma carta toda borrada, como se lágrimas tivessem caído sobre o papel. Então, disse:

— Recebi esta carta da minha irmã ontem à noite. Ela conta que se ajoelha toda noite e ora a Deus em meu favor. Acho que sou o pior homem do exército de Cumberland. Hoje sou um perfeito miserável.

Aquela irmã estava a cerca de dez quilômetros de distância, mas levou o irmão a cair de joelhos em resposta à oração sincera e confiante que ela fizera. Era um caso difícil, mas Deus ouviu e respondeu às preces dessa irmã piedosa, de modo que o homem se tornou como um vaso nas mãos do oleiro. Ele logo foi conduzido ao reino de Deus, tudo por causa das orações da irmã.

Eu me desloquei por aproximadamente cinquenta quilômetros até uma localidade onde contei a história desse casal de irmãos. Um jovem tenente do exército colocou-se em pé e disse: "Isso me faz lembrar a última carta que recebi de minha mãe, contando que, diariamente, logo depois do pôr do sol, ela orava por mim. Na carta, ela implorava que eu fosse sozinho até um lugar afastado e me rendesse a Deus. Coloquei a carta no bolso, certo de que haveria muito tempo ainda para aquilo". Ele prosseguiu dizendo que as próximas notícias que lhe chegaram de casa foram de que sua mãe havia falecido. O rapaz foi sozinho até um bosque e clamou ao Deus de sua mãe para que tivesse misericórdia dele. Em pé, ali entre nós e com o rosto radiante, aquele tenente comentou: "As orações de minha mãe foram respondidas; meu único lamento é que ela não tenha vivido para saber disso, mas eu a encontrarei no porvir". Assim, embora possa ocorrer de não vivermos para ver nossas preces atendidas, se clamarmos fervorosamente a Deus, a resposta virá.

Na Escócia, muitos anos atrás, vivia um homem com a esposa e os três filhos: duas meninas e um menino. O homem tinha o hábito de se embebedar e, por causa disso, sempre perdia o emprego. Enfim, ele resolveu partir com o filho, Johnnie, para os Estados Unidos, onde estaria longe dos antigos colegas e poderia recomeçar a vida. Na companhia do garoto, que tinha sete anos, ele foi embora. Logo depois de chegarem aos Estados Unidos, o homem foi até um bar e se embebedou. Ele se perdeu do filho enquanto estavam na rua e, desde então, nunca mais foi visto pelos amigos. O garotinho foi levado a um abrigo e, mais tarde, trabalhou como aprendiz em Massachusetts. Agora jovem, insatisfeito após passar um período ali, partiu para o mar; por fim, mudou-se para Chicago, para trabalhar nos lagos da cidade. Ele tinha um espírito nômade, havendo passado por terra e mar e tendo se estabelecido em Chicago. Certa vez, quando seu barco chegou ao porto, esse rapaz foi convidado para um culto. O alegre som do evangelho o alcançou, e ele se tornou cristão.

Pouco tempo depois de sua conversão, o moço se sentiu bastante ansioso para encontrar sua mãe. Escreveu para diversas localidades na Escócia, mas não conseguiu descobrir onde a mãe vivia. Um dia, ao ler nos Salmos o trecho: "O Senhor não negará bem algum àqueles que andam no caminho certo" (Sl 84.11), fechou a Bíblia, ajoelhou-se e orou: "Ó Deus, nos últimos meses, tenho buscado andar no caminho certo; ajuda-me a encontrar minha mãe". Então, ocorreu-lhe de mandar uma carta para a instituição em Massachusetts de onde fugira anos antes; ali, uma carta vinda da Escócia o aguardava havia sete anos. Ele imediatamente escreveu para o endereço de origem indicado na carta e descobriu que sua mãe ainda era viva; a resposta veio de pronto. Eu queria que vocês o vissem no instante em que recebeu essa correspondência. Quando veio mostrá-la para mim, as lágrimas em seu rosto eram tantas que ele mal podia ler o que estava escrito nela. Uma das irmãs tinha redigido a carta no lugar da mãe, a qual, impactada com a notícia acerca do filho que se perdera havia muito tempo, não conseguiu escrever.

A irmã disse que, durante aqueles dezenove anos desde que o moço partira, a mãe havia orado a Deus dia e noite para que o filho estivesse a salvo e que ela vivesse para vê-lo uma vez mais e saber o que havia acontecido com ele. Agora, contou a irmã, a mãe estava exultante não apenas pela notícia de que o filho estava vivo, mas por saber que se tornara cristão. Não demorou muito para que a mãe e as irmãs fossem até Chicago para encontrá-lo.

Menciono esse caso para mostrar como Deus responde às orações. Essa mãe clamou a Deus durante dezenove longos anos. Por vezes, ela deve ter tido a impressão de que Deus não pretendia atender o desejo de seu coração; mas continuou orando até que, enfim, a resposta veio. O testemunho pessoal reproduzido a seguir foi apresentado publicamente durante uma de nossas recentes reuniões em Londres e pode servir para amparar e encorajar os leitores destas páginas.

Testemunho apresentado em uma reunião de oração

Quero que vocês entendam, meus amigos, que exponho não o que fiz, mas o que Deus fez. *Somente Deus poderia tê-lo feito!* Eu já não tinha mais esperança, achando-me um caso perdido. Mas é pela grande misericórdia de Deus que estou aqui esta noite para dizer-lhes que Cristo "é capaz salvar de uma vez por todas aqueles que se aproximam de Deus por meio dele" (Hb 7.25).

De fato, a leitura desses pedidos (pela salvação de bêbados) me tocou profundamente. Eles pareciam ecoar um pedido de oração que fora feito em meu favor. E, pelo que conheço da sociedade em geral e da natureza humana, sei que há muitas famílias às quais esse pedido também se aplica.

Portanto, se o que eu lhes disser animar um coração cristão, encorajar um pai e uma mãe piedosos a seguir orando por seus filhos, ou ajudar um homem ou uma mulher que se sente fora do alcance de qualquer fio de esperança, ficarei grato a Deus por isso.

Tive excelentes oportunidades na vida. Meus pais amavam o Senhor Jesus e fizeram o melhor que podiam para me ensinar a andar no caminho correto; e, por um tempo, pensei que realmente seria um cristão. Mas deixei Cristo e me tornei cada vez mais distante de Deus e de todo tipo de boas influências.

A escola foi o local onde aprendi a beber. Quando eu tinha 17 anos, por muitas vezes bebi excessivamente, mas, até os 23, dispus de certa cota de respeito próprio que me privava de me lançar à degradação completa. Porém, dali até os 26, desci ladeira abaixo. Já em Cambridge, segui bebendo cada vez mais, até que perdi todo respeito próprio e voluntariamente escolhi as piores companhias.

Desviei-me de Deus mais e mais; então meus amigos, tanto os que eram cristãos quanto os que não eram, consideraram meu caso e disseram que havia muito pouca esperança para mim. Fui amparado por todo tipo de gente, mas eu odiava a disciplina. Odiava tudo que tivesse gosto de religião e zombava de todo bom conselho e palavra gentil oferecidos a mim nesse sentido.

Tanto meu pai quanto minha mãe morreram sem que me vissem ser trazido ao Senhor. Eles oraram por mim por todo o tempo em que viveram e, em seus últimos dias, minha mãe me perguntou se eu não lhe faria companhia no céu. Para tranquilizá-la, respondi que sim. Contudo, não falei a sério e, quando ela morreu, achei que ela sabia dos meus reais sentimentos. Após sua morte, fui de mal a pior, afundando no vício cada dia mais. A bebida me dominou com maior força; então desci e desci. Nunca estive "na sarjeta", na popular acepção desse termo, mas minha alma era tão degradada quanto a de qualquer homem que vive em alojamentos miseráveis.

Saí de Cambridge para uma cidade ao norte, onde fui encaminhado a um advogado, e depois segui para Londres. Quando estive no norte, o sr. Moody e o sr. Sankey visitaram a cidade onde eu morava. Uma tia que continuava orando por mim mesmo depois da morte de minha mãe, veio e disse:

— Quero lhe pedir um favor.

Essa tia sempre fora muito carinhosa comigo, e eu sabia o que ela queria. Ela continuou:

— Vá ouvir o que dizem o sr. Moody e o sr. Sankey.

— Muito bem. Aqui temos, então, uma barganha. Eu vou ouvir esses homens, mas você nunca mais me pedirá isso. Promete?

— Sim, prometo — ela afirmou.

Estando convencido, cumpri religiosamente minha parte na barganha.

Esperei até que o sermão fosse concluído e vi o sr. Moody descer do púlpito. Uma sincera oração fora feita em meu favor e havia um combinado entre minha tia e o pregador para que a mensagem se aplicasse a mim e também para que ele viesse falar comigo imediatamente depois de encerrá-la. Quando encontramos o sr. Moody no corredor, julguei-me muito esperto ao andar como que contornando minha tia antes que ele pudesse falar comigo e logo saindo dali.

Vaguei para mais longe de Deus depois daquela ocasião e acredito que não dobrei os joelhos em oração pelos dois ou três anos seguintes. Mudei-me para Londres, e as coisas pioraram ainda mais. Às vezes, eu tentava me erguer. Fiz inúmeras resoluções; prometia a mim e a meus amigos que jamais tocaria em uma bebida novamente. Eu mantinha a decisão por alguns dias — certa vez por seis meses —, mas a tentação vinha com força maior do que nunca e me varria para longe do caminho da virtude. Em Londres, negligenciei meu trabalho e tudo mais que deveria fazer e desci mais fundo no pecado.

Um dos meus colegas de farra me falou:

— Se você não se levantar, vai acabar se matando.

— Como assim? — indaguei.

— Você está se matando; não pode beber tanto desse jeito.

— Bem, então não há nada que eu possa fazer quanto a isso — respondi.

Cheguei a um ponto em que não acreditava mais na possibilidade de haver salvação para mim.

É doloroso expor essas coisas; Deus não permita que, enquanto as descrevo, eu sinta algo além de vergonha. Estou lhes contando tudo isso porque temos um Salvador; e, se o Senhor Jesus Cristo salvou até mesmo a mim, ele é capaz de salvar vocês.

A situação prosseguiu dessa maneira até que, por fim, perdi todo o controle sobre minha vida.

Passei um dia inteiro bebendo e jogando bilhar e, à noite, retornei para a hospedaria onde morava. Achei que ficaria sentado ali por um tempo e sairia de novo, como de costume. Antes de sair, comecei a refletir; um pensamento me acometeu: "Como é que tudo isso vai terminar?". Então respondi a mim mesmo: "Ah, para que isso? Eu sei como vai terminar: na destruição eterna do meu corpo e da minha alma!". Senti que estava me matando — matando meu corpo —, e sabia muito bem qual seria o destino da minha alma. A meu ver, era impossível que eu fosse salvo. Mas fui tomado fortemente por outro pensamento: "Há algum jeito de escapar?". "Não", respondi. "Já fiz incontáveis resoluções. Tentei tudo o que pude para me manter limpo da bebida, mas não consigo. É impossível."

Nesse exato instante, vieram à minha mente palavras da própria Palavra de Deus, palavras das quais não me lembrava desde que era menino: "Para as pessoas isso é impossível, mas tudo é possível para Deus" (Mt 19.26). Então, num *flash*, vi que o que eu havia acabado de admitir como impossibilidade, tal qual fizera centenas de vezes antes, era aquilo que Deus se comprometera a fazer se eu fosse até ele. Surgiu todo tipo de empecilho — colegas, gente à minha volta, minhas próprias tentações —, mas eu apenas olhei para cima e pensei: "É possível para Deus".

Dobrei os joelhos naquela mesma hora, em meu quarto, e comecei a pedir a Deus que realizasse o impossível. Assim que

acabei de orar, balbuciando declarações de maneira sôfrega —
já fazia quase três anos que eu não orava —, pensei: "Agora,
Deus vai me ajudar". Nem sei como me agarrei à verdade divina. Levaria nove dias até que eu descobrisse como aquilo
aconteceu e tivesse qualquer certeza, paz ou descanso na alma.
Levantei esperançoso de que Deus me salvaria. Tomei aquilo
como verdade e, por fim, o vivenciei, pelo que louvo a Deus.

Achei que o melhor que podia fazer era procurar alguém
com quem conversar sobre minha alma, uma pessoa que me
dissesse como eu poderia ser salvo, visto que eu era um perfeito pagão, embora minha criação tivesse sido excelente. Saí
e perambulei por Londres, o que prova quão pouco familiarizado eu era com pessoas religiosas e locais de adoração; não
consegui encontrar nenhuma capela wesleyana. Meus pais
eram wesleyanos e busquei um lugar vinculado a essa denominação, mas não encontrei. Procurei durante uma hora e meia;
naquela noite, meu corpo e minha alma estavam nas condições
mais abjetas que se pode conceber ou imaginar.

Voltei para a hospedaria, subi as escadas e pensei comigo:
"Não vou para a cama antes de ser salvo". Mas eu estava tão
mal por conta da bebida — não havia comido a quantia usual
de alimento à noite, e o resultado foi pavoroso — que senti que
deveria dormir (embora não tenha me atrevido a fazê-lo) ou,
do contrário, estaria em graves condições na manhã seguinte.

Eu sabia como estaria naquela manhã. Pensaria: "Como fui
estúpido ontem à noite". Acordaria razoavelmente revigorado
e sairia para beber de novo, como costumava fazer. Mas outra vez refleti: "Deus pode fazer o impossível. Ele fará o que
não consigo fazer por conta própria". E orei ao Senhor para
que me deixasse acordar na mesma condição em que fui para
a cama, sentindo minha miséria e o peso dos meus pecados.
Então, dormi. A primeira coisa que pensei na manhã seguinte,

assim que me lembrei de onde estava, foi: "Será que o convencimento do pecado se foi?". Não. Eu me sentia ainda mais miserável que antes e algo me pareceu estranho, embora fosse bastante natural: levantei e agradeci ao Senhor por haver me mantido preocupado quanto à minha alma.

Vocês já se sentiram assim? Talvez, após uma reunião, uma conversa com um cristão, ou depois de ler a Palavra de Deus, você tenha se encaminhado até seu quarto sentindo-se miserável e quase convencido do pecado.

Prossegui em busca do Senhor por oito ou nove dias. Na manhã de sábado, tive de falar com os clérigos. Foi difícil. Fiz aquilo com lágrimas correndo pelo rosto. Um homem não chora na frente de outro homem. De toda forma, eu disse a eles que gostaria, e de fato pretendia, tornar-me um cristão. O Senhor me auxiliou com a promessa: "Tudo é possível para Deus".

Um cético baixou a cabeça sem dizer nada. Um colega com quem eu jogava bilhar comentou: "Eu queria ter a coragem de dizer isso!". Minhas palavras tiveram uma recepção diferente da que eu imaginava. Contudo, justamente o homem que me tinha dito que eu estava me matando com a bebida passou uma hora e meia tentando me fazer beber, afirmando que eu "estava melancólico e mal-humorado" e que um copo de conhaque ou de uísque me faria bem. Ele tentou me convencer a beber, mas, por fim, eu me virei na direção dele e disse: "Lembre-se do que você me falou. Estou tentando me afastar da bebida e não tocar nela novamente". Quando penso nisso, eu me recordo das palavras do próprio Deus: "As misericórdias dos ímpios são cruéis" (Pv 12.10, RC).

E assim o Senhor me atraiu até que aquilo que era um fio fino se tornou uma corda por meio da qual minha alma ganhou movimento. O Senhor me fez achegar a ele, e descobri que ele é meu Salvador. Verdadeiramente, Deus "é capaz de salvar de uma vez por todas aqueles que se aproximam" dele (Hb 7.25).

Não posso me esquecer de lhes dizer que, antes de me achegar a Deus, eu desci fundo em minha miséria, meu desespero e meu pecado, e responsabilizei o Senhor pelo fato de minha salvação parecer impossível e por minha incapacidade de me manter limpo da bebida; porém, daquela noite até hoje, nunca mais tive o menor desejo de beber.

Decerto, foi uma batalha difícil deixar de fumar. Mas Deus, em sua sabedoria, era ciente de que eu fracassaria se tivesse de lutar com uma mão só contra o tirânico desejo que eu nutria pela bebida; então, ele me limpou desse desejo também. Desde aquele dia, o Senhor tem me mantido longe da bebida e me feito detestá-la de maneira feroz. Tudo o que fiz foi dizer que não tinha força nenhuma, assim como não tenho agora, mas o Senhor Jesus "é capaz de salvar de uma vez por todas aqueles que se aproximam de Deus por meio dele".

Se há alguém que me ouve agora e que desistiu de ter esperança, venha para o Salvador! Esse é o nome dele, "pois ele salvará seu povo dos seus pecados" (Mt 1.21). Por todo lugar que passei desde então, descobri que ele é meu Salvador. Deus não permita que eu me glorie. Isso seria gloriar-me em minha própria vergonha. É para minha desonra que conto essas coisas a meu respeito; mas, ah, o Salvador é capaz de salvar, e é isso o que ele fará!

Amigos cristãos, continuem a orar. Pode ser que vocês sigam para o céu antes que seus filhos sejam trazidos de volta para casa. Foi assim com meus pais; minhas irmãs também oraram por mim durante anos e anos. Todavia, hoje eu posso ajudar outras pessoas no caminho para Sião. Louvem ao Senhor por toda a misericórdia que ele tem por mim!

Lembrem-se, "tudo é possível para Deus". Então, vocês poderão afirmar como São Paulo: "Posso todas as coisas por meio de Cristo, que me dá forças" (Fp 4.13).

FIM

Compartilhe suas impressões de leitura,
mencionando o título da obra, pelo e-mail
opiniao-do-leitor@mundocristao.com.br
ou por nossas redes sociais

Esta obra foi composta com tipografia Janson Text
e impressa em papel Holmen Book Creme 60 g/m² na gráfica Geográfica